주한미군지위협정(SOFA)

군민관계
임시분과위원회 2

주한미군지위협정(SOFA)

군민관계
임시분과위원회 2

| 머리말

 미국은 오래전부터 우리나라 외교에 있어서 가장 긴밀하고 실질적인 우호·협력관계를 맺어 온 나라다. 6·25전쟁 정전 협정이 체결된 후 북한의 재침을 막기 위한 대책으로서 1953년 11월 한미 상호방위조약이 체결되었다. 이는 미군이 한국에 주둔하는 법적 근거였고, 그렇게 주둔하게 된 미군의 시설, 구역, 사업, 용역, 출입국, 통관과 관세, 재판권 등 포괄적인 법적 지위를 규정하는 것이 바로 주한미군지위협정(SOFA)이다. 그러나 이와 관련한 협상은 계속된 난항을 겪으며 한미 상호방위조약이 체결로부터 10년이 훌쩍 넘은 1967년이 돼서야 정식 발효에 이를 수 있었다. 그럼에도 당시 미군 범죄에 대한 한국의 재판권은 심한 제약을 받았으며, 1980년대 후반 민주화 운동과 함께 미군 범죄 문제가 사회적 이슈로 떠오르자 협정을 개정해야 한다는 목소리가 커지게 되었다. 이에 1991년 2월 주한미군지위협정 1차 개정이 진행되었고, 이후에도 여러 사건이 발생하며 2001년 4월 2차 개정이 진행되어 현재에 이르고 있다.

 본 총서는 외교부에서 작성하여 최근 공개한 주한미군지위협정(SOFA) 관련 자료를 담고 있다. 1953년 한미 상호방위조약 체결 이후부터 1967년 발효가 이뤄지기까지의 자료와 더불어, 이후 한미 합동위원회를 비롯해 민·형사재판권, 시설, 노무, 교통 등 각 분과위원회의 회의록과 운영 자료, 한국인 고용인 문제와 관련한 자료, 기타 관련 분쟁 자료 등을 포함해 총 42권으로 구성되었다. 전체 분량은 약 2만 2천여 쪽에 이른다.

2024년 3월
한국학술정보(주)

| 일러두기

· 본 총서에 실린 자료는 2022년 4월과 2023년 4월에 각각 공개한 외교문서 4,827권, 76만 여 쪽 가운데 일부를 발췌한 것이다.

· 각 권의 제목과 순서는 공개된 원본을 최대한 반영하였으나, 주제에 따라 일부는 적절히 변경하였다.

· 원본 자료는 A4 판형에 맞게 축소하거나 원본 비율을 유지한 채 A4 페이지 안에 삽입 하였다. 또한 현재 시점에선 공개되지 않아 '공란'이란 표기만 있는 페이지 역시 그대로 실었다.

· 외교부가 공개한 문서 각 권의 첫 페이지에는 '정리 보존 문서 목록'이란 이름으로 기록물 종류, 일자, 명칭, 간단한 내용 등의 정보가 수록되어 있으며, 이를 기준으로 0001번부터 번호가 매겨져 있다. 이는 삭제하지 않고 총서에 그대로 수록하였다.

· 보고서 내용에 관한 더 자세한 정보가 필요하다면, 외교부가 온라인상에 제공하는 『대한 민국 외교사료요약집』 1991년과 1992년 자료를 참조할 수 있다.

| 차례

정/리/보/존/문/서/목/록

기록물종류	문서-일반공문서철	등록번호	17755 11242	등록일자	2001-06-01
분류번호	729.419	국가코드		주제	
문서철명	SOFA 한·미국 합동위원회 군민관계 임시분과위원회 - 주한미군 기지촌 정화 대책, 1972				
생산과	북미2과	생산년도	1972 - 1972	보존기간	영구
담당과(그룹)	미주	안보		서가번호	--
참조분류					
권차명					
내용목차	* 사진있음				

마/이/크/로/필/름/사/항

촬영연도	*롤 번호	화일 번호	후레임 번호	보관함 번호
2007-9	Re-07-10	4	259	

1¬2

결 번

넘버링 오류

외 무 부

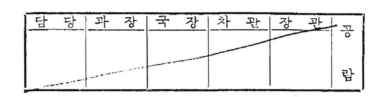

발 신 인

요 약 및 비 고

1. 대통령각하의 지시에따라 주한미군 기지주변의 촌락을 정화할 목적
   으로 청와대 내무.보 사담당 비서관은 지난 12.27관계 각 부처의
   실무자급 회의를 소집하였으며, 외무부에서는 북미 2과 김기조 서기관이
   동 회의에 참석, 지난 9월에 발족한 군.민관계 한.미 임시분과
   위원회가 그 간 동 문제를 다루어온 경위를 보고하였음.

2. 기지촌 정화의 대상은 다음 사항임.

   가. 성병의 예방과 치료 대책
   나. 마약 단속
   다. 군수품의 도난과 암거래의 방지
   라. 군표의 암거래

3. 청와대는 정무 수석비서관을 위원장으로 하고 관계부처 차관급을
   위원으로 하는 "외국군 기지촌 정화대책위원회" 를 구성하였으며,
   외무부차관도 동 위원의 일원으로 참여케 되었음.

4. 상기 위원회는 1. 10. 청와대에서 제 일차 회합을 가질 예정이며,
   동 회합에서 외무부로 서는,

   1/10 회의 소집 되지 않음 (서명)

:3

회 무 부

담 당	과 장	국 장	차 관	장 관	공 람

SOURCE

발 신 인

요 약 및 비 고

가. 기지촌 정화를 위하여 그간 "ROK-US Ad Hoc Sub-
committee on Civil-Military Relations" 가

채택한 한.미 양측의 대 정부 건의내용,

나. 앞으로 상기 분과위원회를 통하여 한국측이 미측에 협조를
요청할 사항

을 회의자료로서 제출할 예정임.

:4

[지급]

대 통 령 비 서 실

대비정 110-115 (75-0031)   71. 12. 31.

수 신   수신처 참조 (외무부장관)

제 목   외국군 기지촌 정화 대책에 관한 지시

　　　1. 외국군 기지촌 주변의 정화문제는 그간 정부가 많은 노력을 경주하여 왔음에도 불구하고 아직도 여러가지의 문제점이 남아있는 실정임으로 이에 대한 획기적인 대책을 강구 추진하여야 하겠읍니다.

　　　2. 따라서 기지촌 대책위원회를 구성하고 종합계획을 수립토록 할 것이며 종합계획이 수립 추진될때까지 관계부처(기관)는 우선 아래 사항을 강력히 조치함으로써 외국인으로 하여금 한국에 대한 그릇된 인식을 불식토록 하여 주시기 바랍니다.

　　　3. 종합대책

　　　　관계부처청및 시, 도는 지난 12. 27 소집된 실무자회의시에는 의된 제문제점들을 충분히 파악하여 장,단기 기본대책을 마련 명 1. 10까지 보고할 것.

　　　4. 당면대책

　　　　가. 다음 문제등을 년초부터 철저한 단속과 예방시책을 강력히 추진할 것.

　　　　　1) 성병 예방및 치료사업
　　　　　2) 마약및 습관성 의약품 단속
　　　　　3) 군수품 도난및 암거래 방지
　　　　　4) 군표의 불법거래

:5

외 무 부	장		
접수일시	197 . . 시		
접수번호	제 242		
주무과			
담당자			
위임근거			

대 통 령 비 서 실

　　나. 다음 문제들은 새로운 사고나 마찰이 발생하지 않도록 적절
한 임기방법을 강구 실시할 것.

　　　1) 훈련장 및 사격장내의 민간인 출입 사고

　　　2) 인종분규 폭행사고

유 첨 ： 1. 대책위원의 명단
　　　　 2. 실무자 회의시 제기된 문제점. 끝

　　대 통 령 지 시 에 의 하 여

　　　　비 　서 　실

수신처 ： 국무총리. 경제기획원. 외무. 내무. 법무. 국방. 보사. 교통.
　　　　문공부장관. 관세청장. 서울특별시장. 부산시및 각도지사.

1971. 12. 31

6

外國軍基地村 淨化對策委員會 委員名單			
區分	所屬	職位	備考
委員長	青瓦台	政務首席秘書官	
委員	外務部	次官	
〃	內務部	次官	
〃	法務部	次官	
〃	國防部	次官	
〃	保健社會部	次官	
〃	交通部	次官	
〃	文化公報部	次官	
〃	關稅廳	廳長	
〃	京畿道	知事	
〃	總理室	政務秘書官	
〃	經濟企劃院	企劃次官補	
幹事	青瓦台	內務保社擔當秘書官	

7

提起된 問題点

事業名	問 題 点	對 策 (案)	関係機関
1. 性病豫防	가. 代用 性病診療所運營의 不合理 (人員.施設.豫算.不足)	(1) 現代式 檢診病院 建立 (2) 要員.施設.豫算 確保	保社部 內務部
	나. 美軍側의 非協調 (正門出入및 交際時檢診證未確認)	(1) 外務部를 通한 協調促求	外務部
	다. 未成年者 登錄方法未備	(1) 登錄의 制度化	
	라. 生活環境의 不良	(1) 아파트 建立	京畿道
	마. 펌프 団束		
2. 麻藥및 習慣性 医藥品 団束	가. 삼베 잎의 生産去來 行爲와 吸煙器具의 団束에 對한 法的規制가 없음	(1) 法的 規制 措置 硏究	保社部
	나. A.P.O (美軍事郵便)를 通한 密輸団束 困難	(1) 警察犬 確保 (2) 鑑識器具 確保 (3) 專担要員 增員 配置	內務部 國防部 関税方
	다. 鑑識裝備.団束人員.機動力 豫算不足		

대 통 령 비 서 실

	가	나	
3. 軍需品盜難및暗去來防止	가. 美軍이 賣渡.讓與 廢棄한 物件을 商品化한것을 盜難品으로 看做하는 뜻 나. 要員 不足	(1) 韓美合同 團束 强化 (2) 美軍部隊, 韓國人 從業員, 美軍과 同居하는 慰安婦 暗去來常習者의 把握및 動態觀察	内務部 國防部
4. 訓練場 및 射擊場 彈着地域 出入統制	가. 隣近住民의 職業轉換 및 輔導	(1) 自治會 組織 善導 (2) 警察官 增員措置 (3) 職業輔導等 生計 對策	内務部 京畿道
5. 人種紛糾 및 暴行事故	가. 美軍의 自体教育 나. 業主및 慰安婦教育	(1) 合同巡察團束 (2) 虞犯地域 警察官固定配置	内務部
6. 觀光接客業所의 環境改善	가. 保安燈및 公衆都市 基本施設 未備	(1) 定期衛生檢查実施 (2) 從業員健康診断実施 (3) 違反業所 行政措置	保社部 京畿道

7. 親善 活動		⑴. 駐韓美軍 後援會組織 ⑵. 韓國 紹介 및 勝共教 育 制度化 ⑶. 文化公報部 海外弘報 資料 配付 ⑷. AFKN 放送에 韓國 時間 割愛 ⑸. 文化財 觀覽周旋 ⑹. 美軍將校와 各界人士 結緣 ⑺. 民泊斡旋 ⑻. 懇談會의 回數 및 參加 人員의 範 圍 擴大	文公部 中 情 京畿道

※ 事業別로 各市道로 共通 該当事項임.

ID

要領記

1. 韓民國際分委 資料 5부.

2. 5次分委 会議錄 1부.

'72. 1. 10.

青互台 政務秘書室
行政官 張石燁

:11

STANDARDS NECESSARY FOR THE HEALTH
DEPORTMENT, SAFETY, DIGNITY AND WELL - BEING
OF MEMBERS OF U. S. ARMED FORCES
REGARDLESS OF RACE OR ETHNIC ORIGIN

7 January 1972

a. Commercial establishments (clubs and shops) must be located on roads which permit ready and unobstructed vehicular access to all entrances and exits under severe weather conditions.

b. Access roads, entrances, and exits of establishments must be well-lighted and clearly marked, and safe for normal pedestrian traffic.

c. The streets and areas in which commercial establishments catering to US patronage are located, must be lighted and patrolled by Korean Police to safeguard both Korean and US personnel.

d. Sanitary conditions of the clubs must be adequate to protect the health of US serviceman. Separate and clean latrines for men and women are necessary.

e. A program to effectively reduce the high incidence of VD contacted in the Tongduchon area must be established.

Incl 1

f. No food and no ice may be served in clubs. Only paper cups may be used.

g. The sale of drugs and marijuana to US personnel must be stopped. Tolerance of the use of drugs or marijuana in an establishment will be sufficient cause to place the establishment off-limits.

h. Business establishments must control activities on their premises to preclude racial discrimination.

i. Club environment must be safe for patronage by US soldiers, regardless of race. Clubs must be located where they can be observed and policed.

j. Clubs must be adequately heated and ventilated. Illumination inside must be sufficient to identify individual patrons.

k. Action must be taken by all establishments to preclude black-market activity, and the illegal exchange of Military Payment Certificate (MPC) for Won. Acceptance of ration control plates and military identification cards for pawn must be stopped.

l. Credit must not be extended US soldiers.

2

m. Signs on commercial establishments which denote ethnic, racial, or social groupings, and in so doing indicate a catering to exclusive groups, must be removed and/or changed.

n. The sale of weapons such as switch-blade knives, brass knuckles, night sticks, and straight razors must stop. This will require stringent Korean police action as such items are usually kept hidden by shop owners until prospective buyers inquire.

o. The sale of altered U.S. flags must stop (for example, those with peace symbols instead of stars on the blue field). Similarly, the sale of items degrading the dignity of the U.S. flag must stop (for example, bed quilts made of the U.S. flags).

3

IMPROPER ACTIVITIES IN THE TONGDUCHON AREA

Marijuana: (Presence of marijuana detected on a recurring basis in the following clubs investigated by the Provost Marshal Investigators).

New York Club   Montana Club
Lucky Club   King Star Club
Oasis Club   Blackman's Den (North Side)
Hong Kong Club (North Side)

Crimes of Violence: (Provost Marshal's office reported the following crimes of violence occurring during the periods indicated:)

	3Nov-3Dec71	4Dec71-2Jan72
Robbery	3	3
Assault	9	14
Aggravated Assault	2	3
Total:	14	20

Venereal Disease: (Number of cases contracted in Tongduchon area based on Division Surgeon's records. U.S. soldiers population in area is approximately 6000).

Nov 71	Dec 71
593	558

Sale of Dangerous Weapons: (Openly sold at the following commercial establishments).

Ro Shop   Happy Hock Shop
#1 Shop   Frankie's Store
Tammy Shop   Golden Shop
Gary Store   Lucky Store
Kim Shop   Pop Record Shop
Park Shop

MPC Currency Acceptance: (Sale of Beverages for MPC).

Liberty Club   New York Club
Oasis Club   Savoy Club
King Star Club   Rendezvous Club
Lucky Club   Starlight Club

Incl 2

Hong Kong Club (North Side)   Blackman's Den (North Side
Montana Club   Seoul Club

MPC Currency Exchange for Won: (Following establishments were placed
off-limits during the period 1 Nov - 9 Dec 71 for MPC/Won exchange).

Korea Shop
Korea Store
Metro Shop

Poor Sanitation: (Management of the following clubs has been advised of
repetitious unsatisfactory sanitary conditions).

Hong Kong Club (North Side)   San Francisco Club
Blackman's Den (North Side)   New Korea
Seoul Hall   Giant Club
King Star Club   Oasis Club
Savoy Club   Montana Club
Rendezvous Club

Mixed Latrine Facilities: (The following clubs do not have separate latrine
facilities for men and women).

Hong Kong Club (North Side)   Liberty Club
Blackman's Den (North Side)   King Star Club

Fire and Safety Standards: (Fire and Safety standards are inadequate).

Bravo Hall   San Francisco Club
New Korea   Savoy Club
King Star Club   Oasis Club
Seoul Hall   Hong Kong Club (North Side)
Blackman's Den (North Side)   Montana Club

Heat and/or Ventilation: (Heat and/or ventilation are inadequate).

Crown Club - ventilation   Hong Kong Club - ventilation & heat
New York Club - ventilation   Blackman's Den - heat

Racial Discrimination: (Openly catering to blacks only).

Hong Kong Club
Blackman's Den

2

기 안 용 지

분류기호 문서번호	미이 723-29	(전화번호)		전결규정 조항 장관 전결사항
처리기간				
시행일자				
보존년한		차 관 장 관		
보조기관	차 관 보		협	
	구미국장	주미에서마도통보요함.		
	북미2과장		조	
기안책임자	권 찬 북미2과 (72. 1. 10)			
경 유		발		통
수 신	대통령 각하			제
참 조	정무수석비서관, 외무 담당특별보 작관 2 1. 21			
제 목	외국군 기지촌 정화대책에 관한 방안			

대 : 대비정 110 - 115

　　대호로 지시한 외국군 기지촌 정화대책에 관한 대책 방안을

별첨 보고합니다.

　　첨부 : 자료 1부.

　　　　한.미 군.민관계 임시분과위원회 회의록 1부.　　끝.

외 무 부
보 고 사 항

외 미이 723 - 호   1972 . 1 . 21.

수 신 : 대 통 령 각 하
참 조 : 정무수석비서관, 외무담당 특별보좌관
제 목 : 외국군 기지촌 정화대책에 관한 방안

다음과 같이 보고 합니다

        더 : 메비점 110 - 115

        덕오모 지시안 외국군 기지촌 정화대책에 관한 대책방안을 별첨

보고합니다.

        첨부 : 자료 1부.
             한. 미 군민관계 임시분과위원의 회의록 1부.   끝.

        외   무   부   장   관

18

軍・民関係　臨時　分科委員会

活動　報告　及　対策

1972.　1.　7.

外務部　欧美局

19

軍民関係臨時分科委員会活動報告 및 対策

ι. 設置目的 및 経緯

1971.7.9. 平沢에서 発生한 黒人兵士와 現地住民들간의 衝突事件은 黒人에 対한 韓国人의 人種差別이 原因인듯이 外信에 報道되어 美国에서 物議를 이르켰고, Dellums 의원을 為始한 一部 黒人議員들은 韓国人의 黒人差別待遇를 猛烈히 非難하고 韓国에 対한 美国의 援助中断을 主張하기에 이르렀음.

外務部는 駐美 各公舘에 訓令하여 当該議員 및 主要言論機関을 相対로 実情을 알리고 解明하도록 措置하는 한便, 韓。美合同委員会를 通하여 美側과 対策을 協議하였으며 問題의 深刻性에 비추어 그 根本的 解決을 為하여는 基地周辺에서뿐만 아니라 中央에서도 韓。美間의 緊密한 協力이 必要하며 또한 政府関係部処의 共同努力이 必須的임을 判断하고 8.30. 外務部長官이 国務会議에 韓。美合同委員会傘下에 새로운 分科委員会構成을 計劃하고 있음을 報告하였음. 다음날 8.31. 駐韓美大使는 外務部長官을 訪問하고 「닉슨」大統領이 国務, 国防 両長官에게 示達한 指示覚書와 또 両長官이 美軍駐屯 各国에 人種差別을 除去하기 為해 指示한 示達書를 提示하고 우리側의 協調를 要請하였음.

外務部長官은 이에 積極 協調할것을 約束하였으며 韓。美合同委員会에서 이 問題 解決을 為한 分委를 構成할 予定임을 알리고 美側의 協調도 당부하였음. 그後 9.2. 韓。美合同委員会는 그의 実務機関으로서 軍民関係臨時分科委員会（The Ad Hoc Subcommittee on Civil-Military Relations）를 緊急課題로서 設置하였고（構成表別紙）同分科委員会傘下에 韓。美実務者로 構成되는 아래의 7個 調査班（PANEL）을 構成하였음.

-1-

20

分科委委員構成

韓国側	美国側
議長　金泳燮　外務部北美2課長	Captain Frank M.Romanick, J5
幹事　金基兆　外務部北美2課書記官	Mr. Robert A.Kinney, J5
委員　白世鉉　内務部管理課長	Colonel David P.Heekin, USA
宋亨植　治安局捜査2係長	Colonel Robert G.Eklund, USAF
李丙模　治安局外事3係長	Colonel Bruce T.Coggins, USA
鄭錄永　法務部訟務課検事	Colonel James K.Pope, USA
玄鴻柱　法務部検察課検事	Colonel Robert J.Kriwanek, USA
金徹溶　交通部振興課長	Mr. John P. Leonard, American Embassy
閔昶東　保健社会部保健管理官	
崔相学　文公部海外課長	

Panel 構成表

1. Panel on Local Community and Governmental Relations: (10명)

※白世鉉　内務部管理課長	※ LTC Walter Kolditz, J5
金基兆　外務部北美2課	Mr. George Kim, G1
李丙模　治安国外事課	LCDR Robert E.Spydell, J1
金徹溶　交通部振興課長	MAJ Walter Ryland, PAJ
	CPT James L.Donat, USAF
	Mr. J. A. Mcreynolds, J5

-2-

21

2. Panel on Korean National Police - US Military Police Cooperation and Coordination: (8명)

```
※ 李 丙 模   治安局 外事課      ※ MAJ J. J.Hallihan,PMJ
   金 基 兆   外務部 北美2課       LTC R. S.Mc'caul, G1
   宋 亨 植   治安局 搜査2係長      LCDR Robert E. Spydell,J1
                                 LTC R. E.Fisher,USAF
                                 Mr.J.A. Mcreynolds,J5
```

3. Panel on Health and Sanitation: (7명)

```
※ 閔 昶 東   保健社會部 保健管理官  ※ COL I. W.Daniele,Surgeon
   權   燦   外務部 北美2課          CPT James G.Schwarz,USAF
   金 瑛 澤   交通部 業務課長         Mr. T. J. Wash,EAEN
                                    Mr. J. A. Mcreynolds, J5
```

4. Panel on Narcotics and Drug Control: (13명)

```
※ 閔 昶 東   保健社會部 保健管理官  ※ LTC W.E. Ray,J1
   權   燦   外務部 北美2課           COL W.R. Warren, Surgeon
   宋 亨 植   治安局 搜査2係長         LTC Richard T. Brittain,G1
   玄 鴻 柱   法務部 檢察課,檢事       CPT James G.Schwarz, USAF
   鄭 錄 永   法務部 訟務課,檢事       CPT M.J.Wentink,JAJ
                                     MAJ Dick Petersen, J5
                                     CW2 Jesse C. Magee,PMJ
                                     Mr.W.D.Heaney,US Embassy
```

-3-

5. Panel on Larceny and Black Marketing: (11명)

* 宋 亨 植	治安局	搜査2係長	* MAJ Charles A. Hines, PMJ
權 燦	外務部	北美2課	COL D. F. McFall, Jr, Jl
玄 鴻 柱	法務部	檢察課, 檢事	LTC R. S. McCaul, Gl
鄭 錄 永	法務部	訟務課, 檢事	LTC Ralph E. Fisher, USAF
申 永 洙	関税庁	心理課長	CPT D. R. Decaul, JAJ
			Mr. Frank Cook, J5

6. Panel on Race Relations and Equality of Treatment: (10명)

* 金 泳 燮	外務部	北美2課長	* COL F. E. Norwalk, Gl
金 基 兆	外務部	北美2課	MAJ M. K. Wheeler, Jl
金 徹 溶	交通部	振興課長	Mr. Charles Farmer, CPO
崔 相 学	文化公報部	海外課長	CPT Thomas Kroboth, USAF
			CPT Larry L. Raab, PMJ
			Mr. Frank Cook, J5

7. Panel on People-to-People Projects: (10명)

* 崔 相 学	文化公報部	海外課長	* LTC R. S. McCaul, Gl
金 基 兆	外務部	北美2課	COL D. F. McFall, Jr, Jl
白 世 鉉	内務部	管理課長	Mr. Benjamin B. Weems, PAJ
金 徹 容	交通部	振興課長	Mr. George Kim, Gl
			LTC M. W. Kohut, USAF
			Mr. Robert A. Kinney, J5

-4-

23

2. 分科委活動 經緯

가. 会議經過

(1) 第1次会議開催 (9.7.)

駐韓 美軍들과 基地村 住民들과의 問題点을 調査하기 위하여 두개 基地村 一帶에 情報蒐集 視察을 實施키로 결의함. (東豆川, 안정리) 一合同委 報告, 通過되었음. (65次)

(2) 第2次会議 開催 (9.22)

5個 基地村 地域에 情報蒐集 視察을 實施키로 合意함. (오산, 大邱, Ascom, 群山, 梁蔡院) 一合同委 報告, 通過되었음. (66次)

(3) 第3次会議 開催 (10.18.)

7個 調査班 (Panel)을 構成하기로 合意하고 各調査班에 委員들을 위촉함. 또 調査班의 活動 限界와 節次 問題를 討議함. 一合同委 報告, 通過되었음. (67次)

(4) 第4次会議 開催 (11.19.)

5個 調査班의 報告書 및 建議事項 (Recommendations)을 접수하고 通過시킴. 一合同委 報告, 通過되었음. (68次)

(5) 第5次会議 開催 (12.14)

2個 調査班의 建議書를 접수하고 通過시킴. 一合同委 報告, 通過되었음. (69次)

(6) 第6次会議 開催

外務部 会議室에서 1.24. 14:00에 開催 豫定

-5-

24

4. 情報蒐集 現地視察 活動

	日 時	地 域	美 軍 基 地
(1)	9.10.	東豆川	Camp Casey
(2)	9.13.	平澤	Camp Humphreys
(3)	9.24.	平澤	Osan Air Base
(4)	9.28.	大邱	Camp Walker,Henry
(5)	9.30.	富平	Ascom
(6)	10. 7.	群山	Kunsan Air Base
(7)	10.28.	梨泰院	Seoul Garrison Command
(8)	11.15.	釜山	Hialeah Compound
(9)	11.30.	坡州郡	Camp Rice
(10)	12. 3.	大田	Camp Ames

-6-

3. 臨時分科委員会가 採択한 韓美 両国 対政府 建議事項 (Recommendations)

　가. 地方行政関係

　　　建議題目: 地域問題 諮問委員会 (The Community Relations Advisory
　　　　　　　Councils)의 名称 改正

　　　内　　容: (1) 韓国 政府와 駐韓美軍 当局은 地域問題 諮問委員会를 <u>韓
　　　　　　　美親善協議会</u> (The Korean American Friendship Coun-
　　　　　　　cils)로 名称을 改正할것.

　　　　　　　(2) 韓・美 両側 共히 適正한「레벨」에서 韓・美親善協会를
　　　　　　　組織할것.

　나. 韓国 警察 및 美 憲兵間의 協調問題

　　1) 建議題目: 韓・美 合同軍警巡察班 設置

　　　内　　容: 設置 可能한 場所에는 어느 地域에나 韓・美 合同軍警巡察班
　　　　　　　을 設置할것.

　　2) 建議題目: 韓・美 合同軍警巡察班의 協調増進

　　　内　　容: 韓国 警察当局 및 駐韓 美軍憲兵司令部는 警察情報의 交換,
　　　　　　　合同巡察活動의 強化 및 相互 問題点을 討議하기 위하여 定
　　　　　　　期的인 Channel을 設置하여 接触할것.

　다. 保健・衛生問題

　　1) 建議題目: 性病의 原因 除去

　　　内　　容: 性病 予防을 担当하는 韓・美 関係当局은 性病保有者로 하여
　　　　　　　금 治療토록 하고 完治될 때까지 公衆으로부터 隔離토록 할
　　　　　　　것. 韓国 関係当局과 美軍 当局은 性病의 原因除去 및 予
　　　　　　　防에 関한 教育,計劃을 함께 세우도록 할것.

　　2) 建議題目: 韓国「크럽」便所施設의 衛生 改善

－7－

內　　容：韓国　保健当局은　美軍当局의　協調를　얻어　基地村　韓国「크

럽」　所有者에게　다음과　같은　緊急措置를　取하도록　할것.

(1)　便所의　洗滌물이　適切히　나오도록　함.

(2)　수건, 종이　등을　備置토록　함.

(3)　便器　洗滌, 清掃, 종이나　수건　등을　提供하는　사람을

配置토록　함.

라. 麻薬問題

建議題目：麻薬　販売管理에　대한　責任

內　　容：韓・美　関係当局이　協調하여　共同으로　다음　特定分野에　対

한　一次的　責任을　짐.　韓国　関係当局은　韓国에서　生産되

거나　韓国에　適法　輸入된　麻薬管理를　責任지며, 美国　当局

은　美軍에　依한　麻薬　不法輸入　및　美軍　相互間　麻薬販売

를　管理하는　責任을　짐.

마. 盗難　및　闇市場　問題

建議題目：美　政府　所有車輛의　盗難　및　免税車輛의　不正処理로　因한

国庫損失防止策

內　　容：(1)　駐韓　美軍의　效果的인　作戦에　蹉跌을　가져울　程度로

美国　政府　所有車輛의　盗難이　頻繁함에　비추어서　大韓

民国　政府의　関係機関　및　駐韓　美軍의　執行機関이　韓

美　相互協力의　既存節次에　따라서　盗難된　美　政府　所

有車輛의　所有　및　運用을　検査하도록　할것,

(2)　免税車輛의　不正処理가　韓国　経済에　悪影響을　끼치고

韓国의　税関収入에　큰　損失을　가져옴에　비추어　既存

韓・美　合同調査「팀」의　活動을　더욱　強化하고　増強할것.

-8-

바. 人種差別問題

1) 建議題目：美軍基地村 所在 韓国 遊興業体에서의 人種差別 撤廃

　　内　　容：韓国 地方関係機関은 美軍基地 関係官과 協力하여 韓国 遊興
　　　　　　　業体에서 人種差別없이 待遇하도록 奨励할것. 韓国 関係機関
　　　　　　　은 俸給날 및 週末 등과 같이 多数의 顧客이 올것이 予想
　　　　　　　되는 時期에는 顧客数에 알맞는 從業員을 配置토록 할것.

2) 建議題目：美軍基地村 所在 遊興業体에서 雇傭하는 接待婦에 의한 人種
　　　　　　　差別 撤廃

　　内　　容：韓国 地方関係 機関은 美軍基地 代表者와 協力하여 遊興業体
　　　　　　　에서 雇傭하는 接待婦가 顧客을 接待함에 있어서 差別待遇를
　　　　　　　하지 않도록 奨励할것. 美国 関係当局은 黒人 兵士들을 接
　　　　　　　待하는 善意의 接待婦를 差別하는 일이 없도록 白人 兵士들
　　　　　　　을 可能한 手段을 다하여 教育하고 指導할것.

3) 建議題目：基地村 所在 遊興業体에서 音楽 曲目 選択에 関한 差別 撤
　　　　　　　廃

　　内　　容：韓国 地方関係機関은 美軍基地 代表者와 協力하여 遊興業体의
　　　　　　　曲目選択에 있어서 顧客들의 嗜好에 따라 均衡있게 選択하도
　　　　　　　록 할것. 韓国 観光協会와 美国 関係当局은 協力하여 遊興
　　　　　　　業体가 広範한 種類의 「레코드」를 갖게하고 出演 楽士들이
　　　　　　　여러 種類의 曲目을 演奏할 수 있도록 訓練하도록 할것.

4) 建議題目：基地村 周辺에서의 韓·美 軍警察間의 協調増進

　　内　　容：基地村 地域의 韓国 警察과 美 憲兵은 韓·美 軍警察 当局
　　　　　　　間의 友好増進을 위해 最善을 다할것.

-9-

28

사. 対民関係

1) 建議題目 : 「헬로 코리아」 TV「프로그램」의 促進

　　内　　容 : 美軍의 韓国 理解에 도움을 주는 「헬로 코리아」TV「프로그램」의 重要性을 認識하며 韓・美 当局은 必要한 財政的 支援을 優先的으로 하며, 特히 僻地 美軍들에게 同「프로」를 볼 수 있도록 할것.

2) 建議題目 : 韓・美 文化에 対한 가용자의 製作 및 準備

　　内　　容 : 美軍이 韓国文化를 알고 韓国民이 美国文化를 알 수 있도록 韓国 政府와 美軍 当局은 文化資料準備를 위한 予算措置를 할것. 또 同 資料는 巡回하면서 使用할 수 있는 「스라이드」, 映画 등 紹介資料를 包含하여야 하고 韓・美 両国民의 知識과 理解를 增進하기 위한 韓・美文化의 여러가지 面을 紹介토록 考案되어야 함.

外務部는 上記 対政府 建議案이 両側에 依하여 合意 採択됨에 따라 이를 関係 各 部処에 通告하여 그 施行에 万全을 期하도록 措置하였음.

-10-

29

4. 外務部는 앞으로 臨時分科委員會에 다음 對策方案을 提示하고 美側의 이에
  對한 協助를 要請할 方針임.

가. 性病豫防 및 治療事業

  (1) 美國軍 當局에게 美軍 營內에 出入하는 職業女性(例:동두천에는 1日
    에 4-500名에 達함)이 등록증과 檢診證을 提示케한 後 通過시키도록
    要求한다. (外務部,交通部,保社部,治安局)

  (2) 職業女性中 未登錄 女性의 美軍人 接待를 根絶시킨다.

    (가) 美側은 美 兵士에게 登錄證과 檢診證을 確認토록 敎育시킨다(外務部)

    (나) 韓國 官憲은 未登錄 女性의 營業者를 적발 의법 응징한다.(交通部
      治安局,保社部)

나. 麻藥 및 習慣性医藥品의 団束

  (1) 麻藥 및 習慣性医藥品의 APO를 通한 반입을 防止하기 爲하여 現在
    10%로 되어있는 小包檢査 制度와는 關係없이 科學的 方法,警察犬等
    을 利用하여 韓·美 合同으로 적발한다. (外務部,財務部,保社部,治安
    局,法務部)

  (2) 麻藥 및 習慣性 医藥品 常習 使用者 団束

    (가) 美 當局은 常習 軍人의 外出을 禁한다. (外務部)

    (나) 韓國 當局은 常習 職業女性의 登錄을 박탈한다. 登錄 박탈자의 他
      地方 轉出을 不可能케 한다. (交通部,保社部,治安局)

다. 軍需品 盜難 및 闇去來 防止

  (1) 軍需品을 갈취하여 韓國人에게 販賣하는 美軍人을 적발,의법 處罰하는
    措置를 強化하도록 美側에 要求한다. (外務部,治安局,財務部)

  (2) 廢棄 處分된 軍需 廢品을 再生한것은 盜難品으로 간주하지 않도록 一
    定한 한계를 美側과 協議 設定한다. (外務部,治安局,財務部)

-11-

30

(3) 美軍 兵士의 外出時 携帯許容品(例 : 麦酒 1상자등)을 縮小 制限하 도록 美側에 要求한다. (外務部 , 治安局 , 財務部)

라. 軍票의 不法去來

(1) 軍票의 不法去來를 根絶하는 捷径은 美軍 軍票 (越南과 韓國에만 있음)의 韓國에서의 廃止인바, 이를 爲한 對美交渉을 재개 (1968年에 始作함)한다. 이 交渉에 앞서 韓國에서 美 弗貨를 자유태환 通貨로 許容하도록 외환관리법을 改正한다. (外務部 , 財務部)

(2) 上記가 관철될때까지 短期措置로 美 當局에게 軍票 交換所의 增設과 交換의 便利를 도모케하도록 要請한다. (外務部)

(가) 軍営門에 交換所를 상설한다.

(나) 観光業所 集中地帯 인근에 交換所를 상설한다. (財務部 , 交通部 協助 必要)

<< 参考資料 >>

(1) 美軍 關聯事件 統計表 (70-71)

(2) 駐韓美軍人 外出人員数

-12-

駐韓美軍人関聯事件統計表

(1970-71)

月数 ＼ 年数	70 年	71 年
1 月	40 件	46 件
2 月	44 件	29 件
3 月	52 件	56 件
4 月	56 件	33 件
5 月	53 件	30 件
6 月	42 件	273 件
7 月	35 件	103 件
8 月	41 件	109 件
9 月	18 件	113 件
10 月	38 件	101 件
11 月	37 件	113 件
12 月	27 件	
計	483 件	792 件

÷13÷

駐韓美軍人外出人員數

基 地 村 名	美 軍 基 地 名	外出美軍人數(日平均)
梨 泰 院	USAGY	500
東 豆 川	Camp Casey	1,000
平澤郡 安井里	Camp Hovey Camp Humphreys	200
富 平／新 村	ASCOM	450
大 田－장동리	Camp Ames	150
坡州郡 영주골	Camp Rice	150
大 邱	Camp Henry Camp Walker	500
釜 山	Hialeah Compound	400
春 川	Camp page	200
原 州	Camp Long	200
平澤郡 松旦邑	Osan AB	1,000
群 山 Kunsan, Silvertown	Kunsan AB	500
倭 舘	Camp Carroll	300
光 州（全南）	Kwangju AB	200
馬 山	-	100
計		6,000

~14~

공　　　　란

공   란

공 　 란

공　　　란

공 란

공   란

공   란

공   란

공   란

공   란

공 란

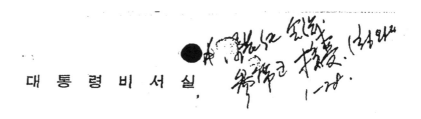

대 통 령 비 서 실

대비정 110-6 (75-0031)   72. 1. 28.

수 신   수신처 참조

제 목   외국군 기지촌 정화 종합대책에 관한 지시 사항

　　　　1. 관계부처에서는 기정예산, 예산의 전용 (유용)등으로 마자업에
우선하여 국고 소요액을 전액 지원하고 모든 사업을 최우선적으로 뒷받침할
것. (기획원은 최대한 협조)

　　　　2. 내무 (치안국), 법무, 보사부등 관계부처에서는 인력,장비,정보
비등을 최대한 지원 (전체에서 조정) 정화대책에 만전을 기할 것.

　　　　3. 내무부에서는 해당 도,시,군의 예산 편성 지침및 예산 책정시
한미 친선을 위한 회의비 등의 현실화 (최대한 계상)로 한미 친선에 실효를
거두도록 할 것.

　　　　4. 관계부처에서는 종합대책 (예산,인력,장비지원)을 수립 2월 3
일한 제출할 것. (6하 원칙에 의하여 구체적으로 종합대책을 수립할 것)

　　　　가. 지구별 지원 내역표

지구별	사업별	소 요 재 원				비 고
		계	국비	도비	시군비	자담	

　　　　국비는 해당부처에서 지원하는 금액을 표시하되 도,시,군
비 자담은 변동치 말 것. (비고난에 국비 요구액을 표시하고 국비 지원액중
목간 유용은 유용으로 표시할 것)

45

나. 사업별 지원내역표

사업별	세부사업	소 요 재 원					비 고
		계	국비	도비	시군비	자담	

다. 사업별 추진계획

대 책 사 업	세부사업	목표량	지구별	담당사업	협조부서

* 모든 자료는 11 개 지역별및 기타지역으로 구분하되 반드시 합계난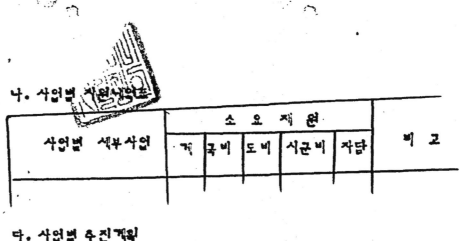
  설정할 것.

수신처 : 관계부서

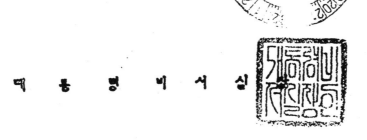

대 통 령 비 서 실

대 통 령 비 서 실

46

기 안 용 지

분류기호 문서번호	미이 723 -	(전화번호)	전결규정 조 항
			국장 전결사항

처 리 기 간	
시 행 일 자	
보 존 년 한	

국   장

보 조 기 관	북미2과장	

협

| 기 안 책 임 자 | 권 찬 | 북미2과 (72. |

3267
1972. 2. 3.
부

건역
1972.2.3

경 유	
수 신	대통령 비서실장
참 조	내무, 보사담당 비서관
제 목	기지촌 정화를 위한 외무부 시행계획

대 : 대비정 110 - 6

대호로 요청하신 자료를 별첨 송부합니다.

첨부 : 외무부 시행계획 1 부.   끝.

정서
관인
발송

0018

21

기지촌 정화를 위한 외무부 시행계획

I. 시행중인 사항

1. 성병 관리

가. SOFA 제69차 합동획의 (71. 12. 16.) 에서 성병의 원인제거와 기지촌 한국 "크럽" 변소시설의 위생개선에 대하여 각각 건의서를 채택, 통과시키고, 이를 관계부처가 시행중에 있음.

나. SOFA 제69차획의에서 합의, 채택된 사항 :

(1) (가) 성병예방을 담당하는 한.미 관계당국은 성병 보균자로 하여금 치료토록하고 완치될때까지 공중으로부터 겨리 할것.

(나) 한국 관계당국과 미군당국은 성병의 원인제거 및 예방에 관한 교육 기획을 함께세울 것.

(2) 한국 보건당국은 기지촌 한국 "크럽" 소유자에게 다음 과같은 긴급조치를 취하도록 할것.

(가) 변소의 세척물이 적절히 나오도록 함.

(나) 변소에 수건, 종이등을 비치토록 함.

(다) 변기세척, 청소 및 종이나 수건을 제공하는 사람을 배치도록 함.

49

2. APO 기관 강화

가. 외무부는 SOFA 합동위 산하 군.민관기 임시분과위원회에 마약
   단속을 위한 APO 기관 강화에 대한 과제를 위촉한바있으며,
   분과위원회에서 이를 채택하고 합동위원회에서 합의되는 대로 그
   시행을 촉구할것임 :

   과제위촉 내용 : 마약 및 습관성 의약품의 APO 를 통한
                  반입을 방지하기위하여 현재 10 %로 되어있는
                  소포검사 제도와는 관기없이 과학적방법,
                  경찰견등을 이용하여 한.미 합동으로 적발한다.

나. 뿐만아니라 SOFA 합동위 재무분과위의 활동을 강화하여 APO 를
   통한 마약 및 밀수범 단속에 더욱 박차를 가할것임.

3. PX 유출품 단속 강화

   미군병사의 외출시 휴대 허용품을 제한하도록 하기위한 과제를
   합동위 군.민관기 임시분과위원회에 위촉 하였음.

   과제위촉 내용 : PX 유출품 (세금 면제된채)이 한국 경제에
                  미치는 악영향을 고려하여 미군병사의 외출시
                  휴대허용품 (예 : 매주 1상자등)을 축소
                  (minimize), 제한 (restrict)하도록
                  미측에 촉구한다.

49

4. 한.미 친선협의회 운영 강화

SOFA 합동위 제68차회의 (71. 11. 24.)에서 한.미 양국이 한.미 친선협의회 (The Korean American Friendship Councils) 를 신설할것을 합의하고, 지역문제의 원만한 해결과 상호 우의를 위하여 각지역의 적정한 "레벨"에서 한.미 친선협의회를 조직할것을 결의, 통과 시킨바 있음.

양국간의 상위 "레벨"에서뿐만 아니라, 도, 시 단위의 각 지역 "레벨"에서 친선협의회가 조직되면 실질적인 성과를 기대할수 있을것임.

5. 미군표 교환소 증설

한.미 군대지위협정 제19조 2항에 의하여 미군은 군표를 관리하기 위하여 대한민국의 상업금융 업체 (Korean Commercial Banking Business)로부터 격리된곳에 군표 교환소를 설치할수 있지되어 있는 바, 외무부는 미 당국에 아래와같이 군표 교환소의 증설과 교환의 편의를 도모케하도록 요청할것임.

가.   군영 문에 교환소를 상설한다.

나.   관광업소 집중지대 인근에 교환소를 상설한다.

6. AFKN-TV   시간 할애

가.   2월 9일 한.미 군대지위협정 발효 제5주년 기념일에 즈음하여 주한 미군의 교육프로로서 SOFA 합동위 양측 대표 (외무부 김동휘

구미국장 및 Smith 중장)의 AFKN-TV 출연과 2월 중순경
군.민관계 임시분과위 양측 위원장 (외무부 김영섭 과장 및 Romanick
대령)의 TV출연을 계획하고 있음.

나. 추후의 이용도를 높이기 위하여 외무부는 SOFA 합동위의 의제로
상정하여 필요시에 항시 이용할수 있도록 협의할것임.

II. 계획중인 사항

  1. 인권 상담소 설치

  2. 사격장 관리 협조

  3. 한.미 합동 직업훈련

  4. 한.미 합동 의료평가

  5. 주 기적인 역학 치료

  ~~6. 군수품의 오물처리~~

  이상의 계획중인 사업을 위해서는,

  가. SOFA Channel 을 통하여 미측과 협의하고, 최대의 협조를 요청
      할것이며,

  나. 또한 SOFA 합동위를 더욱 강화하여 어려운 문제은 의제로
      채택, 해결할 방침임.

REFERENCE OR OFFICE SYMBOL	SUBJECT
USFK EJ	Press Release - Base Community Clean-Up Committee

TO Chief of Staff UNC/USFK	FROM ACofS, J5 UNC/USFK	DATE 1 Feb 72 CMT 1 MAJ Petersen/ib/3417

1. Attached is an article from the Korea Herald of 1 February 1972, concerning the ROKG's "Base Community Clean-Up Committee" and its projected activities.

2. On 1 February, the ROK SOFA Secretary indicated that a meeting of the committee will be held on 3 February to review and approve the proposed programs of action, establish project priorities, and a time phasing schedule for implementation of these programs.

3. Additional developments will be forwarded as they occur.

1 Incl
as

F. M. ROMANICK
Captain, USN
ACofS, J5

Traffic Drive On To Wipe Out Record Of Irregularities

Seoul police yesterday began a stepped-up campaign against taxi and bus drivers who violate traffic regulations. Bus girls who are unkind to passengers are also subject to penalty.

When drivers violate traffic regulations, the police warned, they will be referred to summary court on the spot.

Overtime stop, overspeeding, and bypassing will also be subject to stern punishment, police said.

Lee Kon-kae, director of the Seoul Metropolitan Police Bureau, said the police campaign will continue until such violations are uprooted.

On Monday, police referred 19 vehicles, including seven buses, to the summary court for breach of traffic regulation, he said.

Boy Hangs Self Like in Cartoon

A primary school child killed himself yesterday while mimicking what he had read from a cartoon.

Pyong-min, 1, son of Chong [...] Hawangsim-ni, strangled to death hanging himself at a nylon muffler a 1.5-cm shelf p.m. at his ho[...]

Family mer[...] Pyong-min ofte[...] wished to prac[...] had seen i[...] which depicte[...] gaining life a[...] dead.

There was n[...] home at the incident exce[...] older sister w[...] ing supper.

Institute fr Shipbuildir

The cabinet ed yesterday institute that clusively shi[...] nology, a gove[...] man announc[...]

The spoke[...] the Science [...] Ministry is ta[...] establishing [...]

The decis[...] after discuss[...] gular weekly on the rec[...] fishing vesse[...] the East Cc[...] [...]

[....] Formed to Pur[..] U.S. Campside Towns

The government has recently formed a special committee empowered to control blackmarketing of U.S. military goods, illegal dealing of habit-forming drugs and other elements detrimental to the "purification" of U.S. military campside towns, it was learned yesterday at the Defense Ministry.

Ministry officials said the committee named "U.S. Campside Town Purification Committee" is composed of working-level officials of the Health and Social Affairs, Defense, and Home Affairs ministries.

The committee will study and take effective measures to prevent trafficking of U.S. military payment certificates (MPC), racial confrontations outside U.S. military units between colored and white GIs.

In order to prevent venereal diseases from being spread among camp followers, the officials said, the government plans to build more public health centers equipped with modern medical facilities.

The government will also intensify the activities of Korea-U.S. military joint investigation teams in major cities and all areas adjacent to U.S. military units to crack down on elements working against the purification of these towns, the officials said.

City Pledges Security Lead

Seoul Mayor Yang Taek-shik and 20,000 other officials of the Seoul city government yesterday pledged to take a lead in strengthening the Seoul city's security posture.

The pledge was made in a meeting of municipal officials held at the Citizens Hall. It was presided over by Mayor Yang.

During the ceremony, Mayor Yang presented letters of citation to a total of 60 exemplary city and police officials for their contributions to the improvement of city programs last year.

[...] tion program, under which 10 domestic business firms will benefit this year.

According to the spokesman, the organization also plans to sponsor a Korea-Japan top-management seminar here in March to discuss the effective ways and means to get over the current business difficulty.

The management consultation project and the seminar are to be conducted in cooperation with the International Management Cooperation Committee (IMCC) in Japan. The committee will dispatch 10 experts for management consultation and three persons for the seminar, he disclosed.

Miss Pang Freed From Detention

Actress Pang Song-ja, 36, was released from police detention after the Seoul District Criminal Court ruled that there is no need to place her under detention it is not feared she would flee or destroy evidence.

The actress was arrested in connection with the shooting and injuring of a burglar by her Air Force boy friend at her home last month.

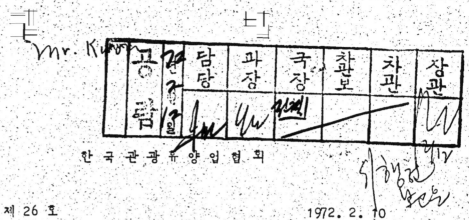

Mr. Kwon

한 국 관 광 휴 양 업 협 회

관휴협제 26 호   1972. 2. 10

수 신   외무부 장관

제 목   관광휴양업소 미군출입 금지령 해제의 건

        경기도 평택군 평성면 안정리에 있는 관광휴양업소
는(9개업소) 71. 7. 9 흑인난동 사건으로 인하여 미군당국으로
부터 출입금지령이 내렸으며 그후 4개업소는 출입금지령이 해제
되였으나 5개업소는 상금까지 해제되지 않고 있어 업자들이 많
은 피해를 입고 있읍니다.

이들 업소는 사건이후 많은 자금을 투자하여 미군휴양에 적합하
도록 업소내부 시설을 개수하고 최대의 써-비스를 재공할
만반의 준비를 갖추고 있으며 이의 출입금지령이 해제됨으로서
정부에서 추진하고 있는 기지촌 정화사업에도 많은 도움이 될
것으로 사료되오니 하루속히 출입금지령이 해제되여 영업을 할
수 있도록 미군당국과 절충하여 주시옵기 바랍니다.

                        한국관광 광 휴 양 업 협 회

                             회 장 김 용

문제点:

美軍当局은 昨年에 基地村 当局者와 合意한바 "5개店"
의 達成을 要請하고 있어 今后히 back-alley club 는
main street 로移轉 하지 않는限 on-limit 로 하는 見大問題

1. 한국정부에서 미군장병의 전용 휴양업체로서 등록한 업체를 진입로가 협소하다는 이유로서 미군장병의 출입을 금지시켜 업체에서 동 진입로에 보안등 까지 설치하였으나 아직까지 동 출입금지 조치를 해제하지 않고 있는바

2. 동업체를 운영하고 있는 자들은 대부분 자본이 영세하기 때문에 동 진입로의 확장은 물론 타장소로의 이견도 현실적으로 불가능한 상태이며 동영업이 동업체 경영자의 유일의 생계수단인 점을 감안할때

3. 한미간 우호 증진은 물론 인도적 견지에서도 미군장병의 출입금지 조치는 조속 해제 되어야겠으며

4. 출입금지 조치 이유가 동 진입로 협소 이외에 위생시설 불비등 다른 사유가 있다면 한국정부에서도 이에 대한 적절한 대책을 강구하겠으나 동 진입로 협소가 미군장병출입금지 조치의 유일의 사유라면 이를 받아 들일수 없음.

한 · 미 제 1 군 단(집단) 사 령 부

민 사   1972.   2.   19.

수 신: 외무부 구미국장

제 목: 기지주변 정화위해 미군측서 취해야할 조치사항 송부

　　1. 기지주변 정화에 있어서 미군측에게 협조해야할 내용을 첨부와
같이 송부 합니다. 업무에 참고 바랍니다.

no action required on the part of the Foreign Ministry?

첨 부: 미군측에서 취해야 할 조치사항 1부. 끝.

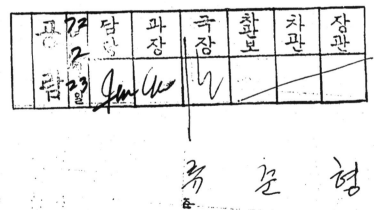

민사참모 대령 문

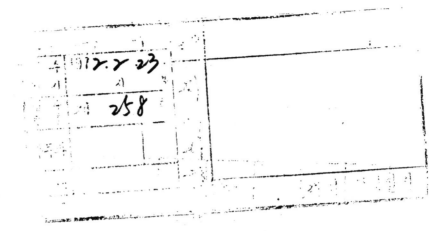

기 지 주 변 정 화 를

위 하 여

미 군 측 에 서 취 해 야 할 조 치

한 · 미 제 1 군 단 (집 단) 사 령 부

59

1. 군기 확립을 위한 일반지침

　　가. 여가선용

　　나. 저축장려

　　다. 선의의 부대 경쟁제도 수립(예: 사고 회수가 적은 부대)

　　라. 미군 지휘관은 부하들에게 한국에 관한 역사, 풍습 및
　　　　전통등을 정훈 교육이나 인격지도의 일부토 교육시킴
　　　　으로서 한국과 한국인의 생티를 이해시켜 각종 사고를
　　　　근원적으로 예방할 수 있도록 노력하기 바람.

59

2. 마약 및 습관성 의약품 흡연자 단속

　가. 흡연 자수 사병을 통한 첩보 획득 및 한미간 첩보교환

　나. 미군사우편 이용 마약 밀수 행위에 대한 한미 합동

　　　수시 점검

　다. 미군에 대한 정기 및 수시 마약 관계 계몽교육 실시

　라. 마약 흡연 여부를 확인하기 위한 소변검사 회수의 증가

　　　(6개월 1회)

　마. 흡연 거처를 위한 셋방 행위 단속

　바. 수연기(WATER PIPES　　　)구입 단속

　사. 집단 체육 활동의 장려(태권도, 축구, 체조 등)

　아. 무기명 제보 제도의 설정(귀국장병)

60

3. 효과적인 성병관리

   가. 한미합동 의료반 편성 및 직업여성에 대한 주기적인
       검진과 표본 조사의 실시

   나. 미군에 대한 주기적인 성병 감염 점검

   다. 귀국 사병에 대한 성병 감염 점검의 제도화

   라. 한국 보건소 직원의 불시 가두 점검에 대한 상호협조

   마. 영내 크럽 출입 직업여성에 대한 부대 정문에서의 검진
       카드 점검

   바. 검진카드 확인후 직업여성과 교제토록 계몽

   사. 미성년 직업여성(20세 이하)과의 교제 금지

   아. 콘돔 사용 권장

   자. 외출 사병에 대한 부대 정문에서의 콘돔 분배 및 콘돔
       자동 판매기 설치 (영내 변소)

61

4. 훈련장(사격장) 및 탄착지역 침입자 단속

　　가. 해당 한국 경찰서장에 대한 훈련계획 사전 통보(3-4일전)

　　나. 야전 군기 확립 및 군기 위반자에 대한 강력한 사후조치

　　다. 보다 많은 경계병 배치

　　타. 한국인 자치회에게 탄약 상자 일괄 증여

62

5. 군 보급품의 유출 방지

가. 미 군사 우편 밀수 행위 단속을 위한 한국 세관 관리
   와의 수시 점검

나. 한국 세관과의 유기적인 협조책 강구 (신분증 , 전화 , 차량
   밥바 및 필요시 차량제공)

다. 한국 직업여성에 대한 군 보급품 양도 및 증여 행위 단속
   (어떤 행동의 대가 혹은 구호 목적)

라. 한국인 특히 한국 직업여성들의 피 · 엑스 · 물품 구입 청탁
   거접

마. 외출시 지나친 피 · 엑스 · 물품 휴대에 대한 단속조치 강구

바. 군 보급품의 군 보급 계통에 의한 반납 강조 (영내 오물
   처리장에 버리거나 방치하지 않도록 교육)

63

6. 한국 관광 접객업소 이용시의 유의사항

   가. 사랑에 대한 한국 윤리 교육 실시

   나. 한국인에 대한 지나친 우월감의 외부 표시 삼가

   다. 관광 접객업자에 대한 충분한 사전 시정 기일의 부여

   라. 클럽내에서의 흑인 혹은 백인 단독 집회 금지

   마. 클럽 출입시 맥주 혹은 음료수 휴대행위의 자제

   바. 클럽내에서의 클럽 지배인 지시 순종

   사. 출입 클럽의 맥주 및 음료수 구매 취음.

   아. 고운말쓰기 운동 전개 및 여성 존중의 미풍 권장

   자. 외상행위 단속

   차. 외출 사병에 대한 현화 소지 여부 확인

   카. 외출전 및 외출 귀대후 레이션 카드 및 신분 증명서
      소지 여부의 확인

   타. 양호한 외출 복장의 착용

   파. 미국국기 또는 변조된 미국국기 도안 복장의 단속

64

7. 범죄 예방 대책

　가. 한미 상호 방위조약에 의한 공동 방위 의의에 관한
　　정훈교육 실시

　나. 한국인, 한국가정 및 기타 한국 영업 시설에 대한 수색의
　　한국 경찰 담당 실시

　다. 기지외 설치 각종 간판 및 각종 표식에 대한 한국 행정
　　당국과의 사전 협조

　라. 우범 지역에 대한 한미 합동 순찰반 운용 및 미군 헌병
　　고정 배치

　마. 시내 폭발물 관련 사병의 엄중 처벌 및 지휘책임의 추궁

　바. 흉기 휴대 외출 금지

　사. 야간 통행 금지시간 준수

　아. 특수한 시간 또는 특수한 목적지까지의 택시 승차시
　　사전 요금 결정

65

8. 한국 소개 및 관광행사 적극 참여

　가. 모범 장병에게 참가 우선권 부여

　나. 귀대후 참가 장병의 소감 발표

　다. AFKN 좌담회 및 인터뷰 실시로 참가 의욕 고취

　라. 한미친선 회의를 통한 각종 문화 활동 및 체육 행사의

　　　계획, 실시

　마. 지역내 중고등학교와의 자매 결연

　바. 카투사의 적극 활용

66.

기 안 용 지

분류기호 문서번호	미이 723 -	(전화번호)	전 결 규 정 조 항	
			국장 전 결 사 항	
처 리 기 간				
시 행 일 자			$L_{4}23$	
보 존 년 한			국 장	
보조기관	북미2과장		협	
기 안 책 임 자	권 찬	북미2과 (72. 2.)		
경 유 수 신 참 조	내무부장관		접수 5636 1972. 2. 23 외무부	결 재 1972 2. 23
제 목	군·민관계 임시분과위원들의 현지답사 계획 통보			

한·미 합동위 군·민관계 임시분과위원회는 별지 계획에 의거, 평택군

소재 Camp Humphreys   기지촌 현지답사를 결정하였아오니, 현지

지방관헌으로 하여금 현황 보고토록 조치하여 주시기 바랍니다.

	정서
첨부 : 답사계획표 3부. 끝.	
	관인
	발송

외   무   부

미이 723 -   72. 2. 23.

수신 : 내무부장관

제목 : 군.민관계 임시분과위원들의 현지답사 계획 통보

　　　　　한.미 합동위 군.민관계 임시분과위원회는 별지 계획에 의거,
평택군 소재　　Camp Humphreys　　기지촌 현지답사를 결정하였아오니,
현지 지방관헌으로 하여금 현황 보고토록 조치하여 주시기 바랍니다.

첨부 : 답사계획표 3부.   끝.

　　　외 · 무   부   장   관

69

Ad Hoc Subcommittee on Civil-Military Relations

Trip to Camp Humphreys-Anjong-ni

Friday, 25 February 1972

1345	Depart from H-201, Yongsan Helipad.
1415-1430	Arrive at Camp Humphreys, A-511 and proceed by Bus to Paing Sung Myon Office.
1430-1630	Discussion with ROK officials from Pyongtaek and Anjong-ni.
1630-1645	Proceed by bus to Officers' Club, Camp Humphreys.
1645-1830	Discussion with US Military authorities at Camp Humphreys.
1830-1930	Dinner at Officers' Club.
1930-2045	Proceed by bus and tour Anjong-ni.
2045-2100	Proceed by bus to A-511 and depart for H-201 Yongsan Helipad.
2130	Arrive H-201, Yongsan Helipad.

(Uniform of the day)

'69

청와대 기지촌 정화대책위에 대한 차관 부서팀 자료

1. SOFA 합동위 군민관계 임시분과위원회 설치목적 및 경위

2. SOFA 한.미 합동위가 채택한 합의사항 (별첨 1 참조)

3. 청와대 기지촌 정화대책위원회 구성 및 동 대책위를 위한 외무부 작업경위

4. 외무부의 기지촌 대책

70

1.   SOFA   합동위 군민관계 임시분과위원회 설치목적 및 경위

　　　　1971. 7. 9. 평택에서 발생한 흑인병사와 현지 주민들간의 충돌
사건은 흑인에 대한 한국인의 인종차별이 원인인듯이 외신에 보도
되어 미국에서 물의를 이르켰고, Dellums　　　　의원을 위시한
일부 흑인의원들은 한국인의 흑인 차별대우를 맹렬히 비난하고 한국에
대한 미국의 원조중단을 주장하기에 이르렀음.

　　　　외무부는 주미 각 공관에 훈령하여 당해 의원 및 주요 언론기관을
상대로 심정을 알리고 해명하도록 조치하는 한편, 한.미 합동위원회를
통하여 미측과 대책을 협의하였으며, 문제의 심각성에 비추어 그
근본적 해결을 위하여는 기지주변에서 뿐만 아니라 중앙에서도 한.미
간의 긴밀한 협력이 필요하며, 또한 정부 관계부처의 공동노력이 필수적
임을 판단하고 8. 30. 외무부장관이 국무회의에 한.미 합동위원회
산하에 새로운 분과위원회 구성을 계획하고 있음을 보고하였음. 다음날
8. 31. 주한 미 대사는 외무부장관을 방문하고 "닉슨" 대통령이 국무,
국방 양장관에게 시달한 지시각서와 또 양장관이 미군 주둔 각국에
인종차별을 제거하기 위해 지시한 시달서를 제시하고 우미측의 협조를
요청하였음.

　　　　외무부장관은 이에 적극 협조할것을 약속하였으며, 한.미 합동
위원회에서 이 문제 해결을 위한 분위를 구성할 예정임을 알리고 미측의
협조도 당부하였음. 그후 9. 2. 한.미 합동위원회는 그의 실무기관
으로서 군민관계 임시분과위원회 (The Ad Hoc Subcommittee
on Civil-Military Relations　　)를 긴급과제로서 설치하였고,
동 분과위원회 산하에 한.미 실무자로 구성되는 7개 조사반을 구성하였음.

2.   SOFA 한.미 합동위가 채택한 합의사항 (별첨 1 참조)

3.   청와대 기지촌 정화 대책위 구성 및 동 대책위를 위한 외무부 작업
     경위

가.   1971. 12. 청와대에서는 외국 기지촌 주변의 제반 문제점에
      대한 획기적인 대책을 강구 하기 위하여 청와대 정무수석
      비서관을 위원장으로 하고, 관계부처 차관급을 위원으로 하는
      "외국군 기지촌 정화대책위원회" 를 구성하였음.

나.   1971. 12. 27. 청와대 내무.보 사담당 비서관이 제 1차
      실무 자획의를 소집하였는 바, 동 획의에는 북미 2과 김기조
      서기관이 참석하여 SOFA 합동위 산하에 설치된 군.민
      관계 임시분과위원회의 활동사항을 보고하였음.

다.   1971. 12. 31. 청와대에서 아래 문제에 대한 장. 단기 기본
      대책을 세워 1. 10. 까지 보고할것을 지시함 (대미정 110 - 115).

      1) 성병예방 및 치료 사업
      2) 마약 및 습관성 의약품 단속
      3) 군수품 도난 및 암거래 방지
      4) 군표의 불법거매

      외무부는 별첨 2와같이 당면 대책을 보고한바 있음 (미이 723 -
      1168).

바.   72. 1. 28. 청와대 내무.보 사담당 비서관이 제 2차 실무 자획의
      (국장급)를 소집하였는 바, 동 획의에는 김영섭 북미 2과장이
      참석하였음.

마. 72. 2. 2. 기지촌 정화를 위한 외무부 시행계획을 별첨
2악과이 보고하였음. (미이 723 - 2367)

4. 외무부의 기지촌 대책

"기지촌 정화 대책위원회"의 사업중 대미 협조를 요하는
사항에 관하여 SOFA Channel 에서 미측 과 협조 함.

13

SOFA 한.미 합동위가 채택한 건의사항 시행 (69쪽 70쪽)

1. 지방행정관계 (Panel on Local Community and Governmental Relations)

   ✓ 건의제목 : 지역문제 자문위원회 (The Community Relations Advisory Councils)의 명칭 개정

   　내　용 : (1) 한국정부와 주한미군 당국은 지역문제 자문위원회를 한.미 친선협의회 (The Korean American Friendship Councils)로 명칭을 개정할것.

   (2) 한.미 양측 공히 적정한 "메벨" 에서 한.미 친선 협의회를 조직할것.

2. 한국경찰 및 미 헌병간의 협조문제 (Panel on Korean National Police-US Military Police Cooperation and Coordination)

   ✓ 1) 건의제목 : 한.미 합동 군경 순찰반 설치

   　내　용 : 설치 가능한 장소 에는 어느 지역에나 한.미 합동 군경 순찰반을 설치할것.

   ✓ 2) 건의제목 : 한.미 합동 군경 순찰반의 협조증진

   　내　용 : 한국 경찰 당국 및 주한 미군 헌병사령부는 경찰정보를 교환, 합동 순찰활동의 강화 및 상호 문제점을 모의하기 위하여 정기적인 channel 을 설치하여 접촉할것.

3. 보건.위생문제 (Panel on Health and Sanitation)

   ✓ 1) 건의제목 : 성병의 원인 제거

74

　　　　　　　내　용 :　성병 예방을 담당하는 한.미 관계 당국은 성병 보유자로
　　　　　　　　　　　　　하여금 치료토록하고 완치될때까지 공중으로부터 격리
　　　　　　　　　　　　　토록 할것.　한국 관계당국과 미군 당국은 성병의 원인
　　　　　　　　　　　　　제거 및 예방에 관한 교육, 계획을 함께 세우도록할것.

　　✓　2) 건의제목 :　한국 "끄럽" 변소 시설의 위생개선

　　　　　　　내　용 :　한국 보건당국은 미군 당국의 협조를 얻어 기타 흔 한국
　　　　　　　　　　　　　"끄럽" 소유자에게 다음과같은 긴급조치를 취하도록할것.

　　　　　　　　　　　　　(1) 변소의 세척물이 적절히 나오도록 함.

　　　　　　　　　　　　　(2) 수건, 종 이등을 비치토록함.

　　　　　　　　　　　　　(3) 변기세척, 청부, 종이나 수건등을 제공하는 사람을
　　　　　　　　　　　　　　　배치토록 함.

4.　　마약문제 (Panel on Narcotics and Drug Control)

　　✓　건의제목 :　마약 판매관리에 대한 책임

　　　　　내　용 :　한.미 관계당국이 협조하여 공동으로 다음 특정분야에
　　　　　　　　　　　대한 일차적 책임을 짐.　한국 관계당국은 한국에서
　　　　　　　　　　　생산되거나 한국에 적법 수입된 마약관리를 책임지며,
　　　　　　　　　　　미국 당국은 미군에 의한 마약 불법수입 및 미군 상모간
　　　　　　　　　　　마약판매를 관리하는 책임을 짐.

5.　　도난 및 암시장 문제 (Panel on Larceny and Black Marketing)

　　✓　건의제목 :　미 정부 소유차량의 도난 및 면세차량의 불법처미로
　　　　　　　　　　　인한 국고손실 방지책

　　　　　　　　　　　(Recovery of stolen US Gov't vehicles)

내   용 : (1) 주한미군의 효과적인 작전에 차질을 가져올 정도로
미국정부 소유차량의 도난이 빈번함에 비추어서
대한민국 정부의 관계기관 및 주한미군의 집행기관이
한.미 상호협력의 기존절차에 따라서 도난된 미 정부
소유차량의 소유 및 운용을 검사하도록 할것.

(2) 면세차량의 부정처리가 한국경제에 악영향을 끼치고
한국의 세관수입에 큰 손실을 가져옴에 비추어 기존
한.미 합동조사 "팀"의 활동을 더욱 강화하고 증강
할것.

6. 인종차별문제 (Panel on Race Relations and Equality of
   Treatment   )

✓ 1) 건의제목 : 미군 기지촌 소재 한국 유흥업체에서의 인종차별 철폐

내   용 : 한국 지방 관계기관은 미군기지 관계관과 협력하여 한국
유흥업체에서 인종차별없이 대우하도록 장려할것. 한국
관계기관은 봉급날 및 주말등 과과이 다수의 고객이 올것이
예상되는 시기에는 고객수에 알맞는 종업원을 배치도록
할것.

✓ 2) 건의제목 : 미군 기지촌 소재 유흥업체에서 고용하는 접대부에 의한
인종차별 철폐

내   용 : 한국 지방관계 기관은 미군기지 대표자와 협력하여 유흥
업체에서 고용하는 접대부가 고객을 접대함에 있어서
차별대우를 하지않도록 장려할것. 미국 관계당국은 흑인

병사들을 접대하는 선의의 접대부를 차별하는 일이 없도록
백인병사들을 가능한 수단을 다하여 교육하고 지도 할것.

✓ 3) 건의제목 : 기지촌 소재 유흥업체에서 음악곡목 선택에 관한 차별
철폐

내 용 : 한국 지방관계기관은 미군기지 대표자와 협력하여 유흥
업체의 곡목선택에 있어서 고객들의 기호 에따라 균형있게
선택하도록 할것. 한국 관광협회와 미국 관계당국은
협력하여 유흥업체가 광범한 종류의 "레코드"를 갖게하고
줌 연악사들이 더 여러종류의 곡목을 연주할수 있도록
훈련하도록 할것.

✓ 4) 건의제목 : 기지촌 주변에서의 한.미 군경찰간의 협조 증진

내 용 : 기지촌 지역의 한국 경찰과 미 헌병은 한.미군경찰
당국간의 우호증진을 위해 최선을 다할것.

7. 대민관계 (Panel on People-to-People Projects)

✓ 1) 건의제목 : "멤포.고미아" TV "프로그램"의 촉진

내 용 : 미군의 한국 이해에 도움을 주는 "멤포.고미아" TV
"프로그램"의 중요성을 인식하며 한.미 당국은 필요한
재정적 지원을 우선적으로 하며, 특히 벽지 미군들에게
동 "프모"를 볼수있도록 할것.

✓ 2) 건의제목 : 한.미 문화에 대한 가용자의 제작 및 준비

내 용 : 미군이 한국문학를 알고 한국민이 미국문학를 알수있도록

한국 정부와 미군당국은 문화자료 준비를위한 예비조치를 할것. 또 동 자료는 순회하면서 사용할수 있는 "스라이드", 영화등 소개자료를 포함하여야하고 한.미 양국민의 지식과 이해를 증진하기위한 한.미 문화의 여러가지면을 소개토록 고안되어야 함.

3) 건의제목 : 한국 실업인, 시민 및 사회단체로 하여금 주한미군 부대의 협조와 지원을 얻어 "가정방문" 과 코 미아 헤랄드의 "한국을 이해합시다" 와같은 프로그램을 더 많이 시행할것을 권장.

내 용 : "가정방문" 과 코 미아 헤랄드의 "한국을 이해합시다" 프로그램이 성공적이고 효과적이기 때문에 한국 내의 한국 실업인, 시민 및 사회단체로 하여금 이러한 프로 그램을 더 자주 행할것을 권장할것. 주한 미군부대는 이러한 활동의 기획과 시행에 가능한한 최대의 협조와 지원을 할것. 왜냐하면 이 프로그램을 통해서 한국의 저명인사를 만나고 한국의 홀륭한 문화유물을 관람하고 또한 산업발전을 관찰할 기회를 갖일수 있으며, 이미 하여 한국, 한국 인 및 한국문화에 대한 보 다많은 지식과 이해를 얻을수 있기 때문임.

78

SOFA 한.미 합동위가 채택한 합의 사항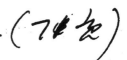

1. 지방 행정관기 : 없음.

2. 한.미 군경 협조문제 : 없음.

3. 보건위생문제 (Panel on Health and Sanitation)

✓1) 건의제목 : 면세특권없는 한국인의 한국 관광협회소속 유흥
업체 출입

　　내　용 : (1) 유흥업체 소유자 및 지배인은 유흥업체내에
있는 한국남자가 동 유흥업체와 정당한 관련성을
가지고 있느냐를 확인할것.

(2) 유흥업체 소유자 및 지배인은 유흥업체를 무상
출입하는 위안부 가 동 업체와 정당한 관기를
갖고, 또한 필요한 현행 보건증을 소지하고
있는지를 확인할것.

(3) 국적을 불문하고 미성년자는 고용되거나 출입
못하도록 감독할것.

✓2) 건의제목 : 유흥구역내의 한국 관광협회 소속이 아닌 음식점의
위생문제

　　내　용 : (1) 한국 관광협회소속 유흥업체 소재 구역내에있는
음식점 (막걸미집 및 대포집 포함)에 대한
보건위생 검열을 강화하고 동 구역내에있는

79

음식 취급자들로 하여금 한국법령에 의한 기본적 위생요건을 준수오록 할것.

(2) 상기 검역구역을 확장하여 음식점 관계자가 거주하거나, 대여하였거나, 또는 잠정적으로 타인이 이동 께되는 주변 주택구역까지 포함게함.

(3) 상기 음식점 출입구에 위생검열 표식을 뚜렷하게 게시하게하고 이러한 검열표식을 게시하지않은 음식점 또는 구역에는 미군 출입 제한구역으로 선포 할것임.

4. 마약단속 문제 (Panel on Narcotics and Drug Control)

1) 건의제목 : 교육 계획과 운영방법을 통하여 한.미 군경 합동조사반의 친선 도모 *(Joint US-ROK law enforcement training program)*

내 용 : 친선도모 프로그램은 한.미 군경 합동조사반이 공동 으로 추진할것.

2) 건의제목 : 마약과 습관성 약품의 불법거매 및 매매행위에 대한 통제

내 용 : (1) 미군 우편시설을 통하여 마약 및 부정약품이 한국에 불법 반입되는것을 방지하기 위하여 미군 당국은 우편경로를 통한 약품의 불법유입을 방지 토록 모든노력을 경무할것. *(USFK prevent illegal flow of drugs via postal channel)*

(2) 마약과 부정약품의 상습 복용자에 대하여 아래와 같은 통제를 강구할것 : *(Controls be tightened drug habitual users)*

80

(가) 미군 당국은 상습 복용자의 신원을 확인
하여 본 미치료 및 이들을 후송시킬것.

(나) 한국당국은 마약을 상습 복용하는 위안부
들의 영업행위 금지토록 할것.

✓ (3) 마약 거래자와 마약 초기 복용자에 대하여 *(Action against trafficking & experimental user)*
적절한 행정적 또는 형사적 조치를 취할것.

✓ 3) 건의제목 : 주한미군에 대한 약품판매 통제 *(no pharmaceutical sales to USFK personnel)*

　　내　용 : 1970. 11. 3. 공표한 대통령령 제5378호에 포함
되는 약품의 판매는 여하한 경우에도 의사의 처방
없이는 미군에게 판매하지말것.

5. 도난 및 암시장문제 (Panel on Larceny and Black Marketing)

✓ 1) 건의제목 : 도난 및 암거래문제 방지책 *(Provide info to KoK of convicted US personnel)*

　　내　용 : 주한미군 당국은 미군장비를 훔쳐서 한국인에게
판매하는 미군인에 대한 처벌결과를 요약형식으로
한국정부에 통보할것.

✓ 2) 건의제목 : 도난 및 암거래문제 방지책 *(Additional list of PX/Commissary control items & better monitoring)*

　　내　용 : 주한미군 당국은 한국관계 당국과 협조아여 P.X.
및 꼬미써리 (Commissary)의 제한품목을
더욱 추가할것이며, 군인 사병이 필요한 적정량
이상의 물품이 흘러나오지 않도록 감시하는 방지책을
더욱 보강할것.

6. 인종차별문제 (Panel on Race Relations and Equality of Treatment)

    건의제목 : 기지촌 한국인의 바, 나이트클럽 및 기타 유흥시설의 명칭

    내 용 : 대한민국 관계 정부당국은 유흥시설의 명칭이 한국인에게 불쾌하거나 인종 배척 또는 인종차별을 의미할때는 미군기지 사령관과 협조하여 동 클럽의 명칭을 검토할것. 따라서 관계 미군당국은 이러한 유흥시설 명칭의 변경이유와 필요성을 미군인에게 주지시키는 교육을 하도록 노력할것.

7. 대민관계문제 (Panel on People-to-People Projects)

    1) 건의제목 : 한국학생과 주한미군 과의 우호친선계획 및 예산지원

        내 용 : (1) 한.미 양 당국은 한국학생과 주한미군과의 친선 도모를 장려하여 학합 및 여행등에 의한 교육 활동, 합동경기, 오락등 여러가지 프로그램을 시행할것.

            (2) 시설 사회단체 및 전문기관으로부터 지원을 최대로 얻기위하여 한국학생과 주한미군의 친선계획에 대한 적절한 홍보활동을 할것.

    2) 건의제목 : 국제 친선협회 한국지부 및 한국 내의 친선회의 승인과 지원

        내 용 : 한국정부 와 주한미군 당국은 국제 친선협회 (PTP)

82

한국 지부의 설립과 한.미 친선관계를 도모함에 있어
서의 역할을 인정할것.   또한 한국 내의 제반 친선
협회 설립을 장려하고 지원할것.

83

U.S. MPs Force Night Clubs To Close Down

UIJONGBU, Kyonggi-do — U.S. military policemen Monday evening rushed into nine night clubs in Tongduchon Town near here and forced the Korean owners of the halls to close down the pleasure establishments.

The MPs, in teams made up of two or three men, entered the halls and drove away both U.S. military personnel who were drinking there and Korean waitresses.

The military policemen said their action was taken according to an order from their superiors.

Meanwhile, the Korean night club owners protested to the U.S. military authorities for what they claimed to be an act of arrogance. The Korean enterprisers noted in their protest that the U.S. military police unilaterally forced them to close their businesses without giving any notice to the Korean administration.

'72. 3. 1. K.T.

84

Cleanup Drive Successful At U.S. Camp Villages

By Suh In-gyo

UIJONGBU — In less than two months after a special campaign was set off to clean up the surroundings of U.S. military camps throughout the country, a subdued but cheerful atmosphere has begun to prevail in this small city just north of Seoul.

Early this year President Park Chung-hee handed down an instruction to do away with various chronic ills rampant around camp towns where U.S. military personnel are stationed.

Since then joint efforts have been made painstakingly by customs, police, health, tax, and prosecution authorities in close cooperation with the U.S. military authorities to put an end to drug addiction, prostitutions, VD, smuggling, and violence in camp villages.

In the Uijongbu area a special committee for that purpose was set up early in January this year with membership of related organs to make the city better place to live in.

Led by Prosecutor Pak Jong-hi, the committee members meet regularly with the commander of a U.S. Army unit stationed in the area and work out more effective methods to bring this ambitious plan to success.

The results have already begun to turn up with the support of Korean residents and U.S. military personnel.

Kim U-dong, chief of the Uijongbu customs office, said, "Recently we have had much less trouble to deal with. I am afraid we'll soon have nothing to do here."

He said his office handled 245 smuggling cases last year, amounting to up to 31,150,000 won, but he expected the number would be much less this year.

As a member of the special clean-up committee, the customs officials are only concerned with smuggling of foreign-made goods from U.S. military camps.

Each of five government organs has its own peculiar assignment in the camp town purification campaign. Police control contraband goods dealings. Health centers are for narcotics, and the tax office checks foreign-made liquors. The prosecution is the commander of the campaign. When military supplies are involved, they are dealt with by military investigators.

Uijongbu customs officials said that there were usually three typical types of smuggling. For example, goods are illegally brought out through the APO and PX under disguised legality, first in collaboration between Koreans and GIs, second through GIs' Korean girl-friends, and third by GIs commissioned by Korean middlemen.

It is said that a middleman gives a GI 5,000 won as a commission for buying a camera.

The campaign to clean up the surroundings of U.S. military camps originated from President Park Chung-hee's instruction after the U.S. military authorities repeatedly complained of drug addiction, VD, and violence rampant in camp villages. At that time it was known that about 70 percent of American soldiers suffered from VD.

The government is known to be planning various projects which will cost a lot of money to provide U.S. servicemen in Korea with the best surroundings with modern conveniences, but it cannot be the final solution to chronic maladies plaguing the camp towns, some thoughtful people believe.

The success of the current nationwide campaign largely depends on mutual cooperation between the government and the U.S. military authorities who will benefit from it.

기 안 용 지

분류기호 문서번호	미이 723 -	(전 화 번 호　　　)	전 결 규 정 2 조 14 항
처 리 기 간			차관　전 결 사 항
시 행 일 자			
보 존 년 한			

보조기관	차 관 보		협	
	국　　장			
	과　　장			

| 기 안 책 임 자 | 권　　찬 | 북미2과 (72. 3. 28) |

경유 수신 참조	청와대 정무수석비서관 (기지촌 정화대책담당) 청와대 내무.보 사담당비서관

발신　9521　1972.3.29　외무부　1972.3.29

제　목　제 72차　SOFA　합동위가 채택한 Humphreys 기지촌 정화대책

　　1.　제 72차　SOFA　한.미 합동위 (1972. 3. 28.)는 Camp

Humphreys 가 소재하는 기지촌 경기도 평택군 안정리의 시가확장에

관한 한.미 군민관계 임시분과위의 건의사항을 별첨과 같이 채택하였읍니다.

　　2.　미측 제보에 의하면 Camp Humphreys 는 앞으로

6개월 이내에 주한미 후방사령부 산하 최대의 후방기지로 발전할 것이며,

현 후방기지 ASCOM (부평)은 Camp Humphreys 로 이동,

통합됨으로써 연말까지 동 Camp 주둔 미군병력이 현재의 약 2,000명

에서 6,000명으로 증가되리라 합니다.

　　3.　Camp Humphreys 는 또한 앞으로 주한미군의 출입항이

현재의 인천, 김포로부터 오산으로 변경됨에 따라 모든 주한미군의 최초

및 최종 경유지가 될 것이므로 안정리를 하나의 "시범기지촌 (show

place)" 으로 만들도록 한국정부가 진력해 줄 것을 건의하고 있읍니다.

　　4.　이와 관련하여 미군당국은 특히 다음 사항을 요망하고 있읍니다.

정서
관인
발송

공통서식1-2(갑)　　　　　　　　　　　　　　　　190 mm ×268 mm (1급 인쇄용지 70g 4²)
1967. 4. 4. 승인　　　　　　　　　　　　　　　조단청　(500,000매 인쇄)

86

가. 병력 증강으로 인하여 교통량이 현재의 약 3배로 증가
될 것이 예상되므로 Camp Humphreys   에서 평택으로
통하는 하나의 대로 (main street   )를 도로 늘려야 함
것이다.

나. 미군이 다수 출입하는 "클럽" 소재 뒷골목을 폭 5메터
이상으로 확장함으로써 차량의 교차와 방화작업이 가능하도록 하고,
야간 보안등을 증설하여 우범지대를 없애야 할 것이다.

다. 성병, 도난, 암거래등 기지촌 특유의 각종 병폐를
근절시켜야 할 것이다.

5. 공식 channel 을 통한 이상의 미측 요망사항은 주한
미군의 주둔환경 정화사업 집행에 있어서 최우선적으로 고려되어야 할
것으로 사료되어 기지촌 정화대책위원회에 이를 건의하오니, 선처하여
주시기 바랍니다.

별첨 : (1) 한.미 합동위가 채택한 건의.
        (2) 안정리 공중 사진.   끝.

외   무   부

미이 723 -   (70 - 2324)   72. 3.   29.

수신 : 청와대 정무수석비서관 (기지촌 정화대책 위원장)

참조 : 청와대 내무.보 사담당 비서관

제목 : 제 72차 SOFA 합동위가 채택한 Humphreys 기지촌
        정화 대책.

1. 제 72차 SOFA 한.미 합동위 (1972. 3. 28.)는 Camp
Humphreys 가 소재하는 기지촌 경기도 평택군 안정미의 시가확장에
관한 한.미 군민관지 임시분과위의 건의사항을 별첨과같이 채택하였읍니다.

2. 미측 제보에 의하면 Camp Humphreys 는 앞으로
6개월 이내에 주한 미우 방사령부 산하 획대의 후방기지로 발전할 것이며,
현 후방기지 ASCOM (부평)은 Camp Humphreys 로 이동.
통합됨으로써 연말까지 동 Camp 주둔 미군 병력이 현재의 약 2,000명
에서 6,000명으로 증가됙바마 합니다.

3. Camp Humphreys 는 또한 앞으로 주한미군의 출입항이
현재의 인천, 김포로부터 오산으로 변경됨에 따마 모든 주한미군의 획초
및 획종 경유지가 될 것이므로 안정미를 하나의 "시범기지촌 (show
place)" 으로 만들도록 한국정부가 진력해 줄것을 건의하고 있읍니다.

4. 이와 관련하여 미군당국은 특히 다음 사항을 요망하고 있읍니다.

    가.   병력 증강으로 인아여 교통량이 현재의 약 3배로 증가됨

것이 예상되므로 Camp Humphreys 에서 평택으로 통하는 하나의 대로 (main street)를 돌로 늘여야 할 것이다.

나. 미군이 다수 출입하는 "클럽" 소재 뒷골목을 폭 5메터 이상으로 확장함으로써 차량의 교차와 방화작업이 가능하도록하고, 야간 보안등을 증설하여 우범지대를 없애야 할 것이다.

다. 성병, 도난, 암거래등 기지촌 특유의 각종 병패를 근절 시켜야 할 것이다.

5. 공식 channel 을 통한 이상의 미측 요망사항은 주한미군의 주둔환경 정화사업 집행에 있어서 최우선적으로 고려되어야 할 것으로 사료되어 기지촌 정화대책위원회에 이를 건의하오니, 선처하여 주시기 바랍니다.

별첨 : (1) 한.미 합동위가 채택한 건의.
      (2) 안정리 공중 사진.   끝.

외   무   부   장   관

89.

공   란

공　　　　　란

공   란

공 란

공   란

공   란

공   란

내　　　무　　　부

관리 110-6088　(70.2481)　　　　1972.　4.　11

수신　외무부장관

참조　북미2과장

제목　SOFA 한.미 합동위가 채택한 합의사항 시행

　　　　1. 미이 723-5152 (72.2.18) 및 동 723-6481 (72.3.2)
에 대하여 당부 소관 사항을 별첨과 같이 조시시행중임을 중간 회보
합니다.

　　　　2. 한미친선위원회 구성문게는 계획을 성안 군민관게 임시분과
위원회에 회부하여 협의후 조치할 방침이니 양지 바랍니다.

첨부. 기지촌 정화 대책 사업별 추진 계획 1부　　　　끝

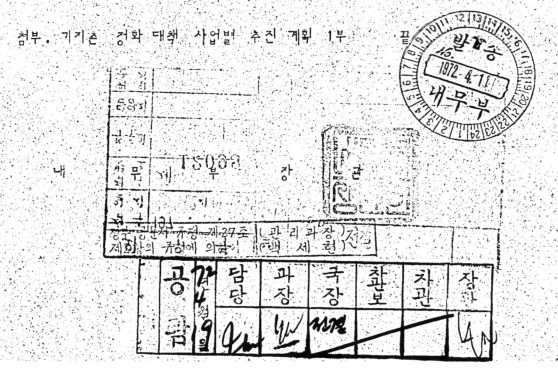

96

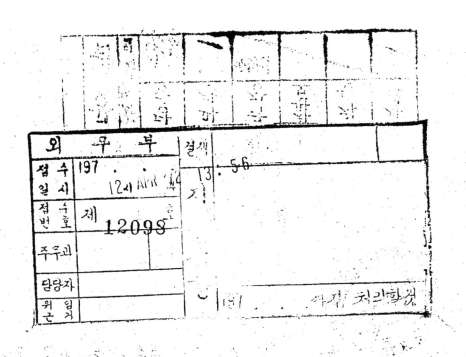

외　무　부	결재	
접수일시	197 .　. 12시 APR 44	3 . 56 기
접수번호	제 12098	
주무과		
담당자		
위임근거		197 .　.　처리할것

基地村淨化對象 事業別推進計劃

(治安行政所管)

內 務 部

P 17

事業別 推進計劃

對策事業		細部事業	目標量	地區別	担当事業	協調部處
1. 犯罪豫防 体制整備	가. 關係機關 実務者會議 開催	(1) 参席範圍		11個重点 地域 및 餘他地域	内務部	保社部 國防部
		(가) 現地警察署長				
		(나) 現地駐屯 外國軍部隊長				
		(다) (〃) 韓國軍捜査機関				
		(라) 現地管轄保健所長				
		(마) 市長 郡守				
		(2) 犯罪豫防 및 團束協調				
		(가) 部隊 防犯施設 瞥備 및 犯法軍人 自体團束				
		(나) 麻藥 및 習慣性 医薬品 團束				
		(다) 慰安婦 檢診 및 性病治療 措置				
		(라) 被害申告의 迅速勵行促求				
		(마) 其他 有害環境淨化				
	나. 韓美協調 体制强化	(1) 韓美座談會등 開催 韓美間의 細帶 및 基地村 淨化協調 促求			内務部	外務部 保社部
		(2) 韓美 親善協議會 基地村淨 化對策을 摸索 積極推進				
		(3) 韓美 軍民關係 臨時分科委員会 基地村 淨化對策의 調整				

~ 26 ~

98

對策事業	細部事業	目標量	地區別	擔當事業	協調部處
다. 對民啓導	(1) 接客業主등 啓蒙			內務部	外務部 保社部
	(가) 顧客誘致의 過大競爭止揚				
	(나) 黑白專用 施設 및 人種差別 陳列品 展示등 差別 處遇禁止				
	(다) 業所內 非常口、照明裝置 化粧室 (男女 共用是正) 衛生施設 등 改修				
	(라) 改造된 美國旗 販賣禁止				
	(마) 刀劍類 販賣行爲禁止				
	(2) 古物商 등 贓物去來 容疑 業主 啓導				
	(3) 慰安婦 啓導				
	(가) 自進檢診 促求				
	(나) 自活組織体를 通하여 未 檢診者의 自律規制 促求				
	(4) 一般住民 啓導				
	(가) 軍需物資 賣買行爲禁止				
	(나) 軍票 不法去來 禁止				
	(다) 麻藥 및 習慣性 医藥品 去來禁止				
	(라) 軍射擊場 彈着地域出入禁止				

~27~

99

對策事業	細部事業	目標量	地區別	擔當事業	協助部處
	(마) 基地村 淨化 自進協調 促求				
	(바) 韓美 親善 紐帶强化				
2. 團束体制 整備	가. 團束 指揮 本部 設置 運營　(1) 警察局長室에 指揮本部 設置		11個重点 地域 및 餘他地域 共通	內務部	
	(2) 警察署長室에 團束本部 設置				
	나. 團束專担班　(1) 搜查、保安 外事 混成 團束班			內務部	外務部 保社部
	(2) 韓美合同團束班 (地域的 特殊性 考慮)				
	(3) 保健要員 合同團束 (麻藥 및 慰安婦 檢診與否 團束時)				
	다. 資料蒐集 再整備　(1) 犯罪多發地域의 時間, 場所 手法別 診斷実施			內務部	
	(2) 犯罪图및 虞犯者 動態把握				
	(3) 犯罪手法 手配등 共助資料 蒐集				
	(4) 麻藥原料 輸入루-드 把握				

~28~

10D

施策事業	細部事業	目標量	地区別	担当事業	協調部處
라. 共助諸報 確行	(1) 隣接警察司署間의 各種 手 配, 照會 回報등 迅速確行			內務部	
	(2) 起訴 中止者 指名手配 通報確行				
마. 檢問所增 設 및 運營 改善	(1) 檢問所 增設			內務部	
	(가) 搜査、保安、外事、号察上 의 脆弱對象 地域에 常設檢問所 新設				
	(나) 時限 勤務 對象 地域에 移動檢問所 設置				
	(2) 運營改善				
	(가) 定員 6名의 現員管理에 最優先 措置				
	(나) 1日 3人 勤務制로 勤務 (1名 據点檢問、2名 外廓 勤務)				
	(3) 通信網 連結 架設				
	(가) 常設檢問所에 P. B 와의 有線通信網運結				
	(나) 移動檢問所에 P. B 와의 無線通信網運結				

~29~

對策	事業	細部事業	目標量	地区別	担當事業	協調部處
3. 基地村 關聯犯罪 団束 (軍需品防遊 및 暗去來 暴力署重点 団束)	가. 警察署長의 地域別責任制	(다) 管轄 P.B 所長의 監督 强化				
		(1) 管轄区域内 犯罪豫防 및 因束責任制		11個重点 地域 및 餘他地域 共通	内務部	
		(2) 警察署長 陣頭指揮下 强力 團束				
	나. 情報網活用	(1) 事犯別 情報網 再整備			内務部	
		(2) 情報員 活用 檢擧 活動 强化				
	다. 犯罪團 集中団束 (隨 時)	(1) 正私服 内外勤 可動警察力 動員 波狀的 集中団束 反復實施			内務部	外務部 保社部
		(2) 韓美 合同機動裝備活用 集中団束				
		(3) 防犯隊員의 最大限 活用				
	라. 檢問 檢索	(1) 贓物 運搬루―트에 對하서 벽 檢問 搜索 (04:00~ 06:00)			内務部	外務部 保社部 國防部
		(2) 各種 車輛 및 部隊出入者 檢問 搜索 ※ 韓美 合同 団束班				

~30~

對策事業	細部事業	目標量	地區別	担当事業	協調部處
	(3) 鉄道駅、各種車輛停車場周辺 遊興街 등 慶犯地域 檢問 檢束				
아. 巡察活動 强化	(1) 韓美合同 機動巡察			内務部	
	(2) 正服 外勤警察官의 徒步 巡察				
바. 贓物搜査 徹底	(1) 古物商 典当鋪등 贓物去來 容疑業所 団束强化			内務部	
	(2) 贓物品票 作成의 正確 迅速手配				
	(3) 贓物 照合 回報의 迅速				
사. 麻藥 및 習慣性 医藥品 団束	(1) 麻藥 및 不正薬品 輸入源 封鎖			内務部 保社部	保社部
	(2) 保健機関과 合同 麻藥 및 習慣性 医薬品 管理法違反 事犯 索出 徹底				
	(3) 해괴스므므의 製造 販賣 吸煙者 徹底 索出				
아. 軍票晴去來 団束	(1) 各種 商去來 不法賣買 및 倫落의 代價로 軍票 授受 行爲団束			内務部	

~31~

對策	事業	細部事業	目標量	地區別	擔當事業	協調部處
		(2) 外國軍人 및 部隊從業員을 通하여 不法流出 되는 單束				
	자. 人種紛糾 要因의 暴行事攻 除去	(1) 黑白專用 接客業所 施設의 廢止			內務部 保社部	保社部
		(2) 人種差別 商品陳列展示 및 廣告物 單束				
		(3) 刀劍類 販賣業所 團束				
		(4) 自体淨化組織 活用				
	차. 軍射擊場 彈着地域 出入統制	(1) 射擊場 外廓에 出入制限 및 禁止線을 策定 統制区域 設定			內務部	
		(2) 出入統制 標識 및 譬告板 設置				
		(3) 特別巡察線 策定 및 巡察 強化				
		(4) 射擊日의 譬備強化				
		(가) 制限線上 譬察官增員 固定 配置				
		(나) 禁止線上에 譬察官 遊動 巡察 勤務配置				
		(다) 勤務者는 安全標識 쪽기 着用 및 FM-1無線網構成連絡				

~32~

對策事業	細部事業	目標量	地區別	擔當事業	協調部處
마. 性病豫防 및 治療措置	(1) 檢診証明書 未所持慰安婦 　　一齊團束			內務部 保社部	保社部
	(2) 街頭誘客行爲 團束				
	(3) 無料 診療所 設置				
	(4) 自治會 組織 活用				
	(가) 慰安婦 善導 및 擴散防止				
	(나) 自建檢診				
라. 處罰强化	(1) 檢擧被疑者의 餘罪 및 其 　　証搜査 徹底				法務部
	(2) 拘束搜査(贓物事犯 等)確行				
마. 合同確認班 編成	(1) 搜査、外事、保安、合同 現 　　地 確認班編成				內務部
	(2) 現地團束狀況 確認指導				
	(3) 團束狀況 分析評價				

기 안 용 지

분류기호 문서번호	미이 723 -	(전화번호　　　)	전결규정 조항 국장　전결사항	
처 리 기 간				
시 행 일 자				
보 존 년 한		국　장		

보 조 기 관	과　장	(서명)		협 조
기 안 책 임 자	권　찬	북미 2과 (72. 5. 3.)		

경　유 수　신 참　조	수신처 참조	발송 13470 1972 5. 3 외무부	통 제	1972 5 3
제　목	미군 기지촌 현지시찰 계획			

1. 1972. 4. 21. 제 9차 한.미 합동위 군민관계 임시분 과위 회의에서
합의된바와 같이 5. 10. 춘천 Camp Page , 5. 19. 왜관
Camp Carrol 에 대하여 한.미 합동 기지촌 현지답사를 시행
코저 하오니 각 위원들은 필히 참석하시기 바랍니다.

2. 관계부처는 현지에 대하여 필요한 조치를 취해 주시기 바랍니다.

끝.

수신처 :　내무부장관, 법무부장관, 보사부장관, 교통부장관,

문학공보부장관, 청와대 정무수석비서관.

Ad Hoc Subcommittee on Civil-Military Relations
Trip to Chunchon - Camp Page
Wednesday, 10 May 1972

1300 — (in case of rain)

1430	Depart from H-201, Yongsan Helipad
1515-1530	Arrive at Camp Page, A-306 and proceed by bus to Chunchon City Hall
1530-1700	Discussion with ROK officials from Chunchon
1700-1715	Proceed by bus to Camp Page Officers Club
1715-1800	Discussion with US Military authorities at Camp Page
1800-1900	Dinner at Officers Club
1900-2000	Walking tour of Chunchon
2000-2015	Proceed by bus to A-306 and depart for H-201 Yongsan Helipad. (Those remaining overnight must make their own transportation arrangements.)
2100	Arrive H-201, Yongsan Helipad

(Uniform of the day)

12 00 on Tuesday, Let us know who is, going on chopper

O Mr. KIM Young Sup, MOFA
O Mr. KIM Kee Joe, MOFA
? Mr. BAEK Se Hyun, MOHA X *Sub.*
Mr. HYUN Hong Joo, MOJ
Mr. SONG Hyong Sik, MOHA X
~~Mr. SUNG Hae Ung~~
Mr. LEE Byung M , MOHA
Mr. CHUNG Ku Young, MOJ
Mr. KIM Chul Yong, MOT
~~Mr. MIN Chang Dong, MOHA~~ O *SHIM Dal Sup*
Mr. KIM Myong Sub, MOC
Mr. CHANG Suk Whan
~~Mr. CHOI Sang Hak~~

CAPT Romanick, ACofS, J5
COL Heekin, Dep CofS, 8th Army
COL Coggins, SJA
COL Pope, 8th Army Surgeon
LTC Gomes, Dep PM
LTC Bell, Dep PAO, 8th Army
LTC Kolditz, Dep ACofS, J5
Mr. AN Chang Hun, J5 Translator

May 5 Chunchon joint inspection

U.S.-ROK Panel Mulls Suggestions

'72. 5. 6. <대한일보>

SEOUL (Special) — The ROK-U.S. Joint Committee received four recommendations Wednesday designed to improve conditions in the recreation area near Camp Casey. The Eighth report groups in ad hoc subcommittee on civil-military relations was also received during the 73rd meeting held in the U.S. Status of Forces Agreement conference room.

The Joint Committee has thus far approved 34 recommendations of its ad hoc subcommittee aimed at improving relations between American servicemen and the Korean people.

The Joint Committee also approved 22 recommendations of its Facilities and Areas Subcommittee, including one providing for the return of old K-16, Youi-Do, in Seoul, and assigned 21 new tasks to that subcommittee. Also assigned were new tasks to its finance (personnel affairs) subcommittee.

The U.S. representative, Lt. Gen. Robert N. Smith, presided at this Joint Committee meeting. The next meeting of the joint committee is scheduled to be held on May 31 in the ROK Capitol Building with the ROK representative, Kim Dong-whie, presiding.

34 Recommendations

108

비2

내　　무　　부

관리 723 - 536 (70.2481)　　　　　　1972.　5.　9

수신　외무부장관

참조　북미2과장

제목　제72차 SOFA 합동위가 채택한 합의사항 송부

　　1. 미이 723-10233 (72. 4. 4)의 관련임.

　　2. 경기도 지사에게 별첨과 같이 지시하였으니 참고하시기

바랍니다.

첨부. 지시공문 1부　　　　　끝

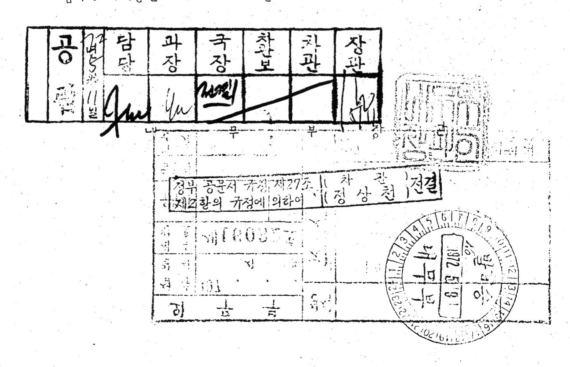

109

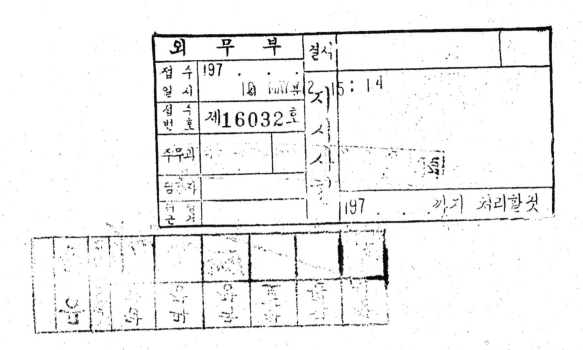

내 무 부

관리 723   (70.2481)   1972. 5. 5

수신 경기도지사

참조 기획관리실장

제목 제72차 SOFA 합동위가 채택한 합의 사항 송부

    1. 한미 합동위원회 제72차 (72. 3. 28) 회의에서 별첨과 같이
합의되었다는 외무부장관의 통보가 있으니

    2. 귀도에서는 이에 따른 적절한 사후 대책을 즉시 수립하고
현지 주민이나 관계 업소의 적극적인 호응을 받아 조속한 시일내에
정확된 기기존으로 조성할것.

    3. 한미 합동위원회가 채택한 합의 사항은 양국 정부가 다 같이
준수하고 이행할 의무를 지는 것이니 착오없도록 할것.

첨부 1. 합동위원회에서 채택한 합의 사항 (요지) 1부

     2. 미군병사들이 출입하는 시설물의 경영자나 지배인이 통제와

          질서의 유지를 위하여 지켜야할 조치 (요지) 1부   끝

내 무 부 장 관

110

합동위원회에서 채택한 합의사항(요 지)

건의

가. 현재의 안정리 사태는 한국측이 중요성을 두고있는 "기지촌정화위원회"
가 현금의 불만족스러운 사태를 일소하는데있어서 한국 지방 관서를
도우고 필요한 미군당국의 지원에 환기시키고 있다.
이 사태에 대한 적절한 조치는 안정리의 중요한 문제점의 근원을 해결
하는데 도움을 주는 군민관계의 개선뿐만 아니라 지역사업가들의 경제
적 기반도 튼튼하게된다.

나. 미군당국과 그 예하사령부 특히 Camp Humphreys 에서는 안정리를 상호간의
이익이되는 한국 기지촌의 표본으로 만들도록 노력하며 안정리의 정화를
즉각적으로 또 효과적으로 수행하기 위하여 한국당국에 필요한 지원과
이를 촉진할수있는 가능한 모든 일을 해줄것.

다. 현재 출입금지된 뒷골목의 4개업소는
지방미군당국과의 협의하에 지방관서와 지방한국인업주가 상호 동의한
계획을 발전시킬때 이를 해제한다. 이 계획에는

● (1) 출입금지된 업소에 인접된 골목길을 도로쪽으로 2차선으로 넓히는
(최소 5미터이상) 완전한 공사 일정표와

● (2) 뒷골목과 업소가 법집행관에 의하여 효과적으로 순찰 될수 있고

(3) 안정리의 업소로서 이전에 출입금지가 해제된 다른 업소의 기준과
일치하도록 하는것 등이 포함된다.
출입금지가 해제되기전에 비상차량의 접근이 용이하도록 최소 3미터
폭의 도로는 되어 있어야 한다.
한국과 미군당국및 업자간에 동의한 기간내에 이 계획과 일정표의 실행
에 실패하면 이들 업소에 대하여 미군당국은 임의로 출입금지구역으로
다시 설정한다.

첨부2.

제목: 미군 병사들이 출입하는 시설물의 <u>경영자나 지배인이 통제</u>
<u>와 질서의 유지를 위하여 지켜야 할 조치</u>

내용: 경영자나 지배인은

1. 업소의 영업시간중에 그들 시설의 운영과 물리적조건을
위하여 전적임을 질것을 확인한다.

2. 고용인 접대부 및 고객으로부터 돈을 받아낼 목적으로
시설물을 출입하는 모든 사람들을 완전히 통제하여야 한다.

3. 모든 고객의 안전과 질서있는 시설을 유지하여야 한다.

4. 고객의 통제를 유지하고 확립하되 일시적으로 이것이 불가
능할때는 즉시 통제의 회복을 위하여 군계당국의 지원을
구한다.

112

EAKSA-CO   17 April 1972

SUBJECT: Minimum Standards for Clubs Frequented by USFK Personnel
미군 출입 클럽에 대한 최저 기준

Proprietor
White Rose Club
Bupyong-Dong, Puk-Ku
Inchon City
화이으 로즈 클럽
인천, 북구 부평동

1. Recent inspections and visits to your club has revealed discrepancies
귀 클럽에 대한 최근의 검열 결과 많은 결함이 발견되었읍니다.
which require your immediate corrective action.
기타의 조속한 시정이 필요합니다.
2. Request you take the necessary action to implement and or correct
결함을 시정하기 위하여 다음과 같은 사항이 요청됩니다.
the following:

    a. To clearly identify the manager and insure that he is available
지배인의 확실한 신원보증및 지배인이 법규를 준수할
during the hours the club is open for business and that he maintains law
것임을 확인할 것.
and order.

    b. Insure that latrines are clean, and runing water is available in the
영업시간중 청결한 화장실액 수세 설비및 충분한 타월을 available
toilet and lavatories and that sufficient disposable towels is available
비치할 것.
during the time your establishment is open.

    c. Insure signs are posted in toilets to remind employees to wash
종업 원들도 하여금 화장실 사용후 손을 씻도록 관기시키는
their hands after using facilities.

    d. Insure tables, chairs, walls, floors and furniture is clean at
표지를 부착할 것.
식탁, 의자, 떡, 마두, 가구등은 항상 청결히 유지할 것.
all times.

    e. That all employees treat patrons with equal attention at all times.
종업인은 균일한 관심을 가지고 고객을 대할 것.

5

미군 출입여 대한 허저기준

f. Insure that a variety of music is played so as not to create a

입주하는 음악은 다양하여 사성이든 암시적이든 백인단의 둡립,

"all-black"/"all-white" club, in fact or by implication, and that posters,

또는 혹인만의 듭립이 되지않도록 한것. 또한 어느 한칙단을 위한다는

signs, flags or other decoration are not displayed that may favor any type

인상을 피아보록 한것.

patronage.

g. Insure that managers, employees, hostesses, or other persons who

지배인, 종업원, 어종업원 기다 출입자가 마약, 습감성 의악을 떼도,

habitually frequent the establishment do not sell, give way, use or possess

받고, 사용, 소유하지 않도록 한것.

marijuana, dangerous drugs, or narcotics.

h. Managers must be knowledgeable and must recognize the use of

지배인은 둡립 운영의 자격 요건으로서 마약, 습감성 의악여 관한

marijuana, drugs, narcotics as a qualification to operate an establishment.

지식이 있을것.

i. Allow no black market activities be transacted in or near the club,

둡립녀 또는 주위에서의 아이 디 카드나 떼이손 카드의 저당을

to include the pawning of ID cards or Ration Control plates.

포함한 암거래를 허탁하지 않을것.

j. Employ doorman to control personnel who enter, require those personnel

떼당지역 법규여 따라 둡립 출입자가 건강 카드및 눈용카드를

who must possess health cards in accordance with local law to possess current

제시하도록 눈지기를 고용암 것.

cards prior to admittance.

k. Insure club is well-lighted inside and out.

둡럼의 옥녀되 옥외 조텁을 개선한 것.

l. Establish necessary fire prevention measure to include fire

소화기및 비상구를 비둣한 방화 섬비를 섬치할 것.

extinguishers and fire exits. Post rated capacity of persons permitted in

둡럼의 수용인원을 덤시할 것.

the club.

m. The extension of credit for purchases or the lending of money for

구 맹프 위한 대여 연잠됨 이윤을 위한 대여의 금지.

profit to USFK personnel is prohibited.

n. Only Korean Won will be utilized as a medium of exchange, and that

한국 화례 원 만이 교관 수단으로서 사용될 것이며 상품, 써비스,

the acceptance of MPC for goods, services or exchange is prohibited.

교탄은 붐전은부 교푼 가 사용되자 않을 것임

o. The selling of US brand beer or cigarettes is not legal and is

양주및 양담배의 매매는 붐법이며 금지되어있음.

therefore prohibited.

ZAKSA-CO   17 April 1972
SUBJECT: Minimum Standards for Clubs Frequented by USFK Personnel
                    미군출입 드립어 대한 획지 기존

    p. Establish and maintain control of patrons and employees, immediately
            뉴믹녀의 김시를 유지하여야하며 유사시 해당 지역 법규는
seek assistance of local law enforcement when control is lost.
            적용하여하랄.
    q. Managers, waitresses, hostesses and other persons employed by the
            지배인, 적송업원및 일반 고동인은 신 원의 확신을 기하기위혀
establishment must be clearly identified by uniforms or badges.
            제복믹 벗지를 확용앙 것.
3. Unless action is taken to implement and correct as stated above, your
            위의 사냥을 시정하기 위혜 조처가 취해지지 않는한 귀영업소는
establishment will be placed off limits to all USFK personnel. NLT 2400,
            1972년 5월 1일부로 모든 미군에게 출입 금지 조처될 것임.
1 May 1972.

                                    ROBERT D. MARSH
                                    COL, INF
                                    Commanding

3

The following is a list of assaults and robberies including times, dates and locations that occurred in the period 1 July 1971 thru 24 February 1972:

SUWON

JULY 1971

ASSAULT (Simple)	ASSAULT (Aggravated)	(CI Subj) ASSAULT (SOFA)	(CI Subj) ASSAULT	ROBBERY (CI Subj)	(KN Subj & CI Victim) ASSAULT	... Subj & CI Victim)

1. 2300 hrs 3 July 224 Bupyong-dong 7 Club
2. 2330 hrs 6 July vicinity of West Club
3. 1515 hrs 22 July 224 Bupyong-dong
4. 2225 hrs 22 July vicinity of Lover Collar Club
5. 2315 hrs 22 July vicinity of Lemon Tree Club
6. 2310 hrs 24 July Dreamboat Club

ASSAULT (Aggravated)
1. 2030 hrs 4 July 7 Club
2. 2230 hrs 23 July vicinity of Arnot Shop

(CI Subj) ASSAULT (SOFA)
1. 0001 hrs 13 July 224 Bupyong-dong
2. 1430 hrs 18 July 174 Sipchong-dong

(KN Subj & CI Victim) ASSAULT
2315 hrs 19 July 7 Club
2335 hrs 19 July 7 Club
1715 hrs 26 July 71 281 Bupyong-dong

ROBBERY (CI Subj)
Stars 17 July ... Assault (Simple) Bupyong-dong

AUGUST 1971

1. 2230 hrs 16 Aug Seven Club
2. 0330 hrs 18 Aug 224 Bupyong-dong

ASSAULT (Aggravated)
1850 hrs 8 Aug In front of Green Door Club

(CI Subj) ASSAULT (SOFA)
0100 hrs 30 July 224 Bupyong-dong Aggravated Assault
1530 hrs 1 Aug 276 Bupyong-dong
2150 hrs 2 Aug 777 Shop (Aggravated Assault)

(KN Subj & CI Victim)
2300 hrs 1 Aug vicinity of Lemon Tree Club

ASSAULT (Single)　　ASSAULT (Aggravated)　　(GI Subj) ASSAULT (SOFA)　　(KN Subj & GI Vict) ASSAULT　　ROBBERY (GI Subj)

3.

4. 2210 hrs 6 Aug
vicinity of Key Club

5. 2230 hrs 6 Aug
vicinity of West Club

6. 2300 hrs 9 Aug
284 Bupyong-dong

7. 2315 hrs 11 Aug
284 Bupyong-dong
(Aggravated Assault)

8. 1040 hrs 12 Aug
Members Club

9. 1410 hrs 7 Aug
In front of
New Seoul Club

10. 2340 hrs 13 Aug
284 Bupyong-dong

11. 2240 hrs 17 Aug
vicinity of
Hollywood Shop

12. 0110 hrs 27 Aug
284 Bupyong-dong

13. 0100 hrs 28 Aug
In front of 7 Club

2250 hrs 28 Aug
284 Bupyong-dong

14. 1340 hrs 31 Aug
vicinity of West Club

2

ROBBERY (GI Subj)

2030 hrs 2? Sept
vicinity of
Lemon Tree Club

2130-2200 hrs 9 Oct
vic of Lemon Tree Club

SEPTEMBER 1971

(GI Subj & GI Vict)
ASSAULT

ASSAULT (Simple)   ASSAULT (Aggravated)   (GI Subj) ASSAULT (SOFA)

2330 hrs 28 Sept   2345 hrs 28 Sept
vicinity of   274 Buyong-dong
Steamboat Club

OCTOBER 1971

ASSAULT (Simple)

1. 2330 hrs 6 Sept
vicinity of
Steamboat Club

2. 2320 hrs 7 Sept
vicinity of
Steamboat Club

3. 0115 hrs 12 Sept
274 Buyong-dong

4. 2030 hrs 18 Sept
Seven Club

5. 2330 hrs - 2400 hrs
28 Sept in the
vicinity of
Lemon Tree Club

6. 2215 hrs 29 Sept
vic of White Rose
Club

7. 2230 hrs 29 Sept
276 Ǎ-chong-dong

OCTOBER 1971

1. 1800 hrs 14 Oct
vic of West Club
Attempted Murder

2230 hrs 16 Oct
vic of Playboy Club

2. 2215 hrs 17 Oct
vic of CHC's
Drug Store

2230 hrs 17 Oct
vic of Gate 8

3. 2335-0015 hrs 30-
31 Oct vic of
Green Door Club

2215 hrs 26 Oct
vic of West Club

118

ASSAULT (Simple)

1. 2230 hrs 2 Nov,
   unk alley in Sinchon vic of Members Club
2. 1230 hrs 7 Nov,
   vic of Dreamboat Club
3. 2245 hrs 12 Nov 71
   vic of West Club
4. 2245 hrs 14 Nov
   vic of Seven Club

ASSAULT (Aggravated)

1730 hrs 4 Nov

ASSAULT (GOFA) (GI Subj)

2330 hrs 13 Nov
224 Bupyong-dong

CC01-C200 hrs
20 Nov 71
exact location
not available

2100 hrs 30 Nov 71
vic of Playboy Club

NOVEMBER 1971 (GI Subj & GI Vict)
ASSAULT

ROBBERY (GI Subj)

2335 hrs 13 Nov
vic of Lemon Tree Club

DECEMBER 1971

2335 hrs 2 Dec
vic of Dreamboat Club

2135 hrs 17 Dec
vic of Silver Dollar Club

1. 1100 hrs 5 Dec
   exact location unk
2. 2115 hrs 25 Dec
   vic of Dreamboat Club

JANUARY 1972

1. 0120 hrs 19 Jan
   Home Land Guard
   Gateshack, 282
   Bupyong-dong
   (Aggravated Assault)
2. 2110 hrs 10 Jan
   284 Bupyong-dong

FEBRUARY 1972

2300 hrs 8 Feb
224 Bupyong-dong

1. 0120 hrs 22 Feb
   224 Bupyong-dong
2. 1625 hrs 7 Feb
   Lucky Customs Tailor Shop
   284 Bupyong-dong

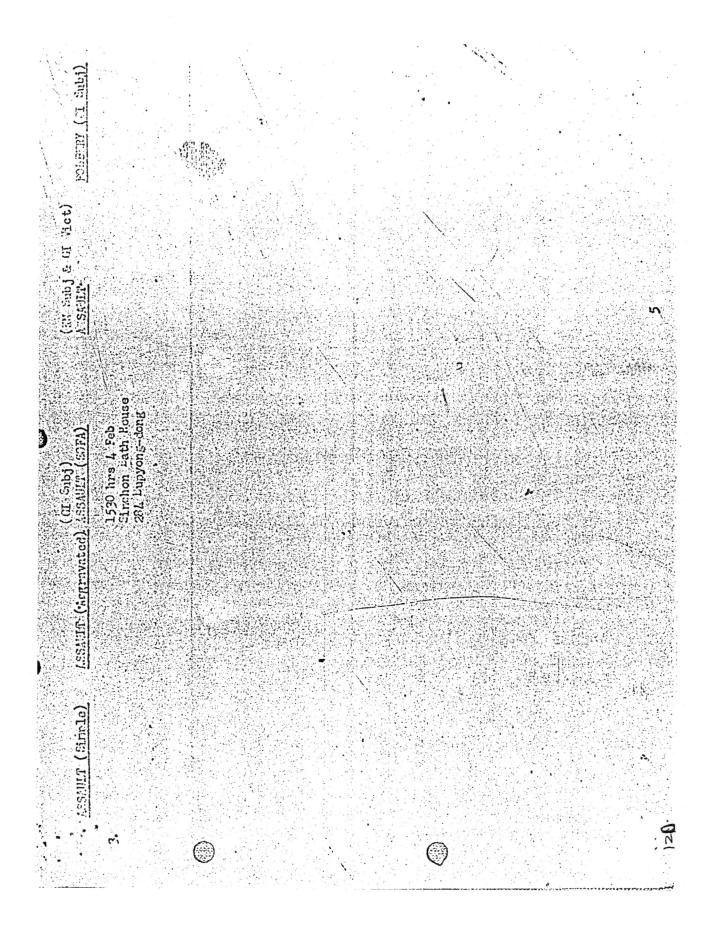

DEPARTMENT OF THE ARMY
HEADQUARTERS, 20TH SUPPORT GROUP
US ARMY ASCOM SUB-AREA COMMAND
APO 96220

DAHSA-PM   4 February 1972

SUBJECT: Letter of Warning

President
Bupyong Club Owners Associati
Inchon City

1. Your organization has received numerous previous warnings, request-
ing your cooperation to take corrective action to decrease the high rate
of venereal disease being contracted by US Forces personnel from females
patronizing your establishments. Therefore this will be the last request
asking your assistance to correct this deplorable condition. Outlined
below are the corrective actions which will be required from the members
of your organization if they wish to remain on-limits to US Forces person-
nel.

    a. All females entertainers patronizing your establishment must be
registered to your club and possess a valid health certificate which is
currently up-to-date.

    b. That all female entertainers be registered to the Bupyong Health
Office and 2 pictures of each entertainer be provided for the Health
Office to enable the joint KNP/PMO Vice Team to identify venereal dis-
ease cases reported from any club.

c. That the manager of the establishment be responsible to assist the PMO Vice Team, upon request, in locating females who have infected USFK personnel with venereal disease as a result of contacts made in that establishments.

d. The manager of each establishment is required to make a bi-weekly check with the Bupyong Health Center insuring that all entertainers who are registered to each club have reported for their VD check and further insuring that those entertainers failing to comply, be barred from entering your establishment.

e. A representative of your club must be present at all times, at the entrances allowing no females entertainer to patronize your establishment unless she is registered to your club and possesses a current up-to-date health certificate.

f. Any disorder within your establishment should be reported to the nearest US Military Police authorities.

2. Unless the members of your association complies to all of the requests listed above, I will have no recourse but to place said club and/or clubs off-limits to all US Forces personnel.

FOR THE COMMANDER:

BARRY H. MOON
CPT, MPC
Asst Adjutant

Copies furnished:
Mayor of Inchon
Health Center
Bupyong KNP Station

122

2

DEPARTMENT OF THE ARMY
HEADQUARTERS, 20TH SUPPORT GROUP
UNITED STATES ARMY ASCOM SUB-AREA COMMAND
APO SAN FRANCISCO 96220

EAKSA-PM   12 April 1972

SUBJECT: Prevention of Incidents

President
Bupyong Tourist Association
Inchon City, Korea

Dear Sir:

I am considerably disturbed by the number of violent confrontations in the local clubs. In an effort to reduce such confrontations and apprehend the responsible individuals, I am recommending the following:

a. Lighting facilities be installed to fully illuminate the entire club in case of such incidents, and to aid the proper law enforcement officials in the apprehension of "trouble makers."

b. Report all incidents and possible incidents involving US service personnel to the Military Police walking patrol or on-duty MP at Gate #3, to render immediate response and prevent such occurrences from spreading to any of the other clubs.

The above recommendation is made in accordance with laws, regulations, rules of conduct, and agreements governing such establishments frequented by US service personnel.

                                        ROBERT D. MARSH
                                        COL, IN
                                        Commanding

Copies furnished:
Bupyong KNP
Inchon Mayor

123

공   란

공 란

공 란

공 란

공   란

공   란

공   란

공   란

공　　　　　란

공 란

공　　　　란

공 란

공　　　　란

공 란

공　　　　란

공   란

공 란

공   란

공 란

공 란

공   란

공   란

기 안 용 지

분류기호 문서번호	미이 723 -	(전화번호)	전결규정 조 항 국 장 전결사항	
처리기간				
시행일자				
보존년한				
보조 기관	과 장　4ㅅ		협 조 조 승 인	
기안책임자	권 찬 북미2과 (72. 6. 1.			
경 유 수 신 참 조	수신처 참조	발 신	외무부 1200 1972 6. 2	검열 1972 6.2 통제관
제 목	미군 기지촌 현지시찰계획 통보			

1. 1972. 5. 26. 제 10차 한.미 합동위 군민관계 임시분과위 회의에서
   합의된바와 같이 6. 9. Masan Ammunition Depot 에 대하여
   한.미 합동 기지촌 현지답사를 시행코저 하오니, 각 위원들은 필히
   참석하여 주시기 바랍니다.

2. 관계부처는 현지에 대하여 필요한 조치를 취해 주시기 바랍니다.
   끝.

　　수신처 : 내무부장관, 법무부장관, 보사부장관, 교통부장관
　　　　　　문화공보부장관, 청와대 정무수석비서관

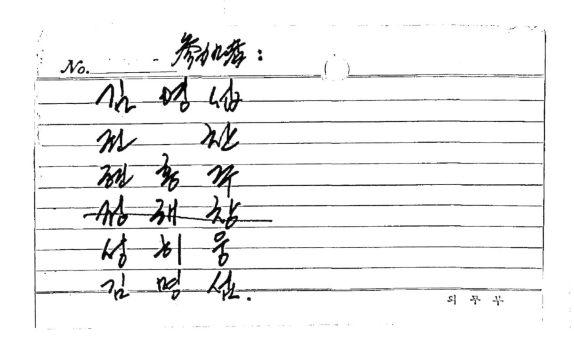

No. ─── 參加者 :

김 명 섭

정   찬

정 종 기

상 해 창

성 치 용

김 명 섭.

외 무 부

146

Ad Hoc Subcommittee on Civil-Military Relations
Trip to Chinhae - Masan Area
Friday - 9 June 1972

1000	Main Gate to Old MAC Terminal will be opened as requested
1015	Arrive Kimpo (Old MAC Terminal)
1030	Depart Kimpo by T-29 aircraft for Pusan
1130	Arrive Pusan (K-9) and depart by two helicopters for Chinhae (R-813, coordinates DP 722-872)
1155	Arrive Chinhae (R-813). Proceed by bus to US Navy Officers Club
1210-1300	Lunch at Officers Club
1300-1330	Visit with ROKN Fleet Commander, RADM OH Yun Kyung
1330-1445	Visit and tour Chinhae with Mayor YI Sun Chul. Discuss construction of public beach at ammunition pier
1445	Enroute to Chinhae (R-813) by bus
1500	Depart Chinhae for 44th Engineer Battalion Compound (H-831 coordinates DP 665-998) by two helicopters
1520	Arrive H-831
1530-1630	Discussion with US military authorities at S-3 Conference Room, 44th Engr Bn
1630-1700	Enroute by bus to Masan
1700-1800	Discussion with ROK officials at Masan City Hall
1800-1830	Enroute by bus to Officers Club, 44th Engr Bn
1830-1930	Dinner at Officers Club
1930-2000	Walking tour of two bars in Chook Chon
2000	Depart H-831 by two helicopters for Pusan.
2020	Arrive Pusan (K-9)
2030	Depart Pusan for Kimpo by T-29
2130	Arrive Kimpo

US Ad Hoc Subcommittee

*CAPT Romanick, J5
COL Dileanis, PAO
COL Coggins, JAJ
COL Warren, Surg
LTC Gomes, PMJ
MAJ Petersen, J5 Div
Mr. Kinney, J5 Div
Mr. Leonard, American Embassy
Mr. AN Chang Hun, J5 Div

*Will meet Subcommittee
at Pusan (K-9)

한국 관광휴양업 협회 양주 지부의 진정서

'72. 6. 2.

진정내용 :

1. 1972. 3. 30. 현재 동두천지역 7개업소 (뉴서울, 뉴욕, 턱키,
   오아시스, 사보이, 야자수 및 한강정 클럽) 는 미군 2사단장
   "스미스" 소장에 의하여 출입금지 (off-limit)를 당하고
   있음.

2. 업자측 견해로는 미측의 요구사항인 시설일체를 보완작업 완료
   했음에도 불구하고 무기한 출입금지령을 내린것은 부당한 처사임.

3. 또한 현 단계에서는 현 "스미스" 소장이 미 2사단장직을 맡고 있는한
   출입금지 해체가 불가능하다고 업자측은 판단, 당부에 이의 시정을
   진정해 왔음.

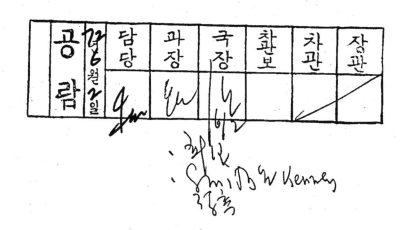

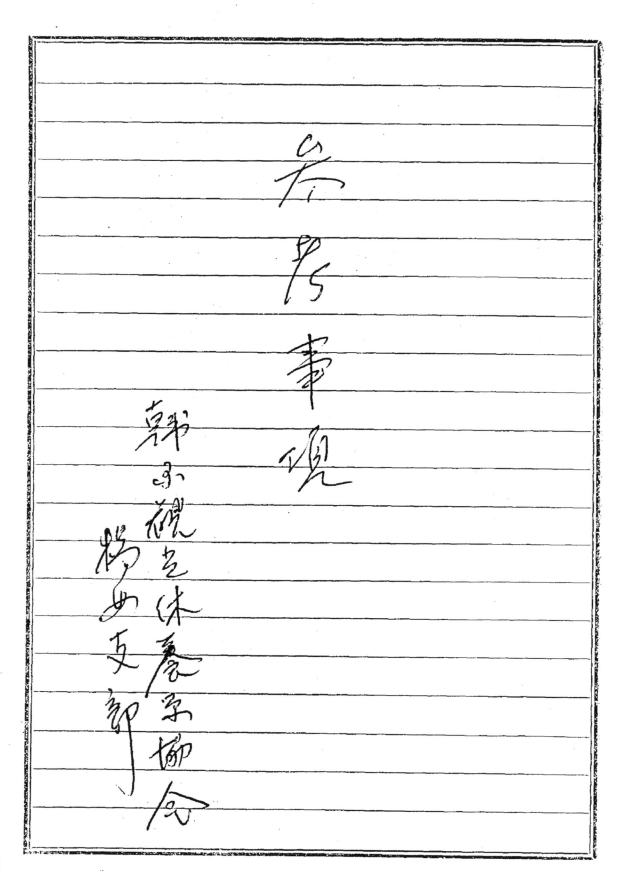

參考事項

韓承礪立休養次仰職務如是支邪令

出入禁止 解除 建議

1. 1972년 3月 30日 美2師團의 任意措置로서 흑색분子(흑인專用新館)의 滅少를 目的 逆去까지 出入禁止를 當하고 있는바

2. 出入禁止 初에는 外形的으로 나마 흑인一部가 보살이 하는 듯 흑을 中心으로 等敎되는 듯 하였으나 얼마후 다시 募用하여 逆去나 다름 없고

3. 別般 흑인 類似구 所數가 增加하며 은근히 集會를 하 出入하여 즐기며 寒氣 등도 이룬 用束 못하고 防만 하고 있으며, 逆去보다 보一는 惡条件이 더 많이 突出 한것으로 보는바

4. 師團側 에서의 目的은 失敗이며 흑백 조화를 期求하기 不可能 하다고 보며 흑인 소望 역시 逆去보다 흑심했으로 보一는 밨伴 존在가 늘어 나고 있는것 으로 안다.

150

5. 흑인들이 近間 北係 씨宅에 다시 몰려 있으며 南係 씨宅 쪽에도 흑인 ... 역시 흑인만 몰며 白人들은 不安케 모—든 렇리를 하고 있다

6. 그 気例로 보나 白人에게 온갖 멸시를 要求 하며 이에 不應하며 暴行 내지 흑인 菜用 소간을 되우며 갈인 형래를 부리고 있다

結論

※ 師団 側 하폐이 어떤 理由 인지 는 모르겠으나, 主權國의 住民으로서 適当한 許可權을 받을 때 하고 無制限 出入을 禁止 시킬 수 있으나 더 할을 수 없으며, 無... 한 主人의 師団으로서도 恐着 그 師用食이 있는 限, 出入禁止 解除도 不可能 하다고 보는바 極力 努力 하시 여 解除 시켜 주시는게 바랍니다

※ 師団 側의 여러 가지 要求 하면은 화設 其他 一切를 다 해 주겠다

151

며 우리고 우리 나라의 要求를
통폐례를 잔관하여야 될 줄.
입니다

※ 흑인들 만 出入 하는 엿술 (없앤들이)
혼폭된 時에 白人을 유치 하는
대 즉력 노력 하겠음.

※ 흑인이 많이 出入 하며 紛圍氣 이라
고 出入禁止 시키면 現在 南條山모에
는 흑 흑幕을 흑인 지정 홀이라고
자정 하버너 白人을 오리 못 하게
하는대 그러면 그홀도 出入禁止시
켜야 될것이며 ... 같으로 이런
形式으로 하시면 黃業的으로 以꿨 흑
인들의 ... 行幕을 우리축하기
빈 알게 되는東에 처하여는 ...
히 對策을 새워 야 할것이리.

※ 대마초 기타을 明明 使用 하면, 흑,백
을면저 ... 흑인 이라면 헌병이
안족도 안하는 實狀이리
(보복이 두려워서)

警告文에 對한 建議

1972年 5月 9日字 美 2師團 民事参謀
代理 名義로 別紙 와 如히 七個所에
警告文이 나온바.

1. 内容인즉 소동. 폭행. 치안 방해. 강도
等으로 指摘 하였으나.

2. 室内. 外 에서 自己들게리 저지른 行為이
지 室. 附近한 韓 사람 을 과는 全然 責任이
없는 事實이며..

3. 室. 内外 에서 소동 내지 폭행 事件 이
있으면 그 卽時 報告 하는바 그 件數
을 任意 報告 하여 이를 件數 에다 넣
어 警告文 을 보내는 것은 不當 하다 고
認定 되며

4. 이러한 實例로 繼續 不當한 處事를 하
면 앞으로는 一切 報告는 勿論 모 ㅡ 든
諸 事閱係 가 끊기 게 될 우료가
있기에

5. 앞으로 이웃 을 참작 하시며 警告
에 이의 出入禁止等 不當한 措置가
없기를 바 람니다

別紙   7個 業所

√ 1. 뉴-서울 홀   東萊區 牛洞里 라樣

√ 2. 뉴-욕   〃   〃   温山里

√ 3. 력 키   〃   〃   〃

√ 4. 오아시스   〃   〃   〃

√ 5. 사보이   〃   〃   〃

√ 6. 야자수   〃   〃   〃

  7. 한강정   〃   〃   〃

                    以上 7個 業所

營業所別 大暴의 內訳

1. 럭키홀

○ 1972年 1月 1日 土曜日.
黑人 數名이 몰려와 白人 座席 테불에
있는 술잔을 빼앗어 맛이면서, 백인
이 쳐다 본다고 무조건 구타 난동 을
부려 9時 40分頃에 營業을 中斷 한
事實이 있음

○ 1972年 3月 24日 金曜日
10時 50分頃에 흑인 1名이 白人이 술
마시는 테불에 걸쳐 앉어서 둘을 窒
하고 白人이 거절하자 테-불을 뒤 엎
고 구타, 白人이 카운타로 되 하여
수십 名의 흑인이 난동을 부렸 으나
마침 미 헌병 들이 와서 만류 가 되
였다

○ 1972. 4. 22. 土曜日
10時 40分頃 흑인 數名과 白人 2名이
業體婦女 구타 하고 理由도 없이 홀内
에서 난동 을 부렸읍니다
※ 흑인 들은 白人에게 돈을 要求, 白人

으로 부러 거절을 當하면 現地 없이 흥에 어 깨기 라고 욕설을 하며 暴行을 加하는 것이 소간 난동의 原因이 됩니다

2 야자수 홀
1972. 3. 10. 下午10時頃 흑인들이 約 20余名이 몰려와서 白人들에게 無条件 시비를 걸어. 마주 때리고 하여 헌병대에 通報하 바로 와서 진압한 事實이 있읍니다

3. 한강정 홀
1972年 2月 15日頃. 下午 11時 頃. 홀 後門 앞반 에서 豪娼婦 1名을 사이에 두고 상호 시비한 (白人 対 白人) 事実이 있읍니다

4. 뉴욕 풀

① 4월 5일 오후 11시 10분
   비 흑인병사 1명 이유 없이 노동
   "쳐라. 함께 출동한 병사가 러키라고 부르며 구타

② 4.8일 9시 30분
   80 번에 달하는 흑인병 들이 러키 줄 뉴욕
   줄 노상에서 부터 오아시스 줄 해병 입구 까지
   몰려들 부르짖니 충돌 크리에 대하 총 쏘라고
   능선장 (CIC)에 출두하라 흑인 (마우스) (러키)
   해병들이 대기하여 체례 (10시 30분거리)

③ 4.16일
   경비대도 공동권 을 흑인 병사가 이유 없이
   기도 석에서 시비 폭행을 가 하였으며 흑인병
   약 80 여명이 산렬 하여 해개중 비 CIC
   에 근무하는 (성명 마우스 러키) 해병들이 제지
   하여 해제 한후 폭행 미지을 헌병대로 연행

   이상 없는 뉴욕풀 리비인
   강 만희

뉴욕 항

① 자기들이 버스 등에서 서있다 (인저이드운 스속 관 클록 등)

② 종업원이 맞지면 왜 맞났나 면서 최반 방해로 자기들 부대를 비고

③ 강도.

흑인에서 백인병사에게 흑인이 현금 등을
강쬈. 이세 반항(반응)하면 폭행을 가한다.

5. 사보이 홀

1. 1972. 4. 2. 일 22시20분경 미2사단 소속
미군사병 (계급 성명불상) 3~4명이 한 테불
에서 음주 하다가 언쟁을 하여 홀 내에서
근무중인 헌병이 제지하여 상방간 악수하고
헤어졌으며 사고사병들을 연행 하지 않았음

2. 1972. 4. 12일 22시50분 미2사단 소속 사병
백인 1명 흑인 5명 (성명불상) 이 사보이 홀
앞 로상에서 원인모르 싸움을 하고 사보이 홀
안에 드러 왔음 그후 5분쯤 경과하여 미헌병
이 출동하여 사고사병들을 연행 하여 갔음

3. 1972. 4. 12일 22시경 미2사단 소속 사병(백인
성명불상) 이 술에 만취어 홀소속 업태부
안영란 에게 무조건 쪽설을하여 이에 항의 하자
안영란 의 안민을 구타하여 홀 종업원이 제지
하였으며 미군밑 안영란은 헌병이 연행 하
지 않하였음

공   란

공   란

공   란

공   란

공   란

공 란

공   란

공 란

공　　　란

공   란

공   란

공 란

기 안 용 지

분류기호 문서번호	미이.723 -	(전화번호)	전결규정 **9** 조 **3** 항
			국장 전결사항

처리기간		
시행일자		
보존년한		

국 장

보조기관	과 장		협
기안책임자	권 찬	북미2과 (72. 7. 3)	조
경유 수신 참조	보건사회부장관, 청와대 정무		
제 목	미군 기지촌 주변의 성병문제		

주한미군이 제공한 자료에 의하면 미군 기지촌 주변의 성병율이

1972년도 상반기에 극심한 증가율을 나타내고 있는 바, 이는 귀부의

업무소관으로 사료되어 별첨 통계 사본을 송부하오니 업무에 참고

하시기 바랍니다.

	정서
첨부 : 통계 자료 사본 1 부. 끝.	관인
	반송

공동서식1-2(갑)
1967. 4. 4. 승인

190mm×268mm (1급인쇄용지70g ㎡)
조달청 (300,000매인쇄)

172

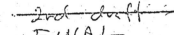
~~2nd draft~~
FINAL

DEPARTMENT OF THE ARMY
HEADQUARTERS, EIGHTH UNITED STATES ARMY
APO SAN FRANCISCO 96301

EAMD-PM

22 June 1972

MEMORANDUM FOR: ACofS J-5

SUBJECT: Venereal Disease

1. The following tables indicate a increasing problem with VD control among US Army military personnel.

TABLE I

Year	VD Rate (Cases/1000 men/year)
1965	257
1966	322
1967	363
1968	368
1969	367
1970	389
1971	553
1972 (5 months)	705

TABLE II

Month (1972)	VD Rate (Cases/1000 men/year)	
Jan	621	759
Feb	675	513
Mar	754	645
Apr	700	525
May	787	

2. The increase starting in 1971 has been attributed to the results of the troop drawdown at that time. The resultant movement of US troops and prostitudes has made control difficult, because of an the increased number of unregistered and uncontroled females.

3. The effect of sudden movements of prostitudes can be clearly demonstrated by the VD rates for Pusan. From Oct 1971 to Jan 1972 the VD rates varied from 102-204 cases/1000 men/year. This Spring approximately 195 prostitutes were suddenly moved and replaced with different females. The VD rate has skyrocheted to 755 cases/1000 men/year in April 72 and 1308 cases/1000 men/year in May 1972.

4. Reports from medical facilities indicate that an increasing number of men are naming street walkers as the source of their infection. There appears to be very little control of the free-lance or street walker population.

5. In many areas the number of registered business women possessing VD cards precludes adequate examination of all women in existing health clinics. More clinics and staff are clearly required if the Korean health clinics are to reduce the incidence of VD in females servicing US Army personnel.

6. The assistance of ACofS J5 is requested to impress upon the Korean authorities the seriousness of the VD epidemic, specifically, it would be desireable to:

   a. Reduce the number of prostitudes serving US Army personnel.

   b. Eliminate street walkers or unregistered prostitutes from contact with US Army personnel.

   c. Reduce the movement of prostitudes from one locale to another.

   d. Improve the diagnostic and treatment facilities for VD clinics.

内　　　　部

관리 723 - *가까기* (70 - 2481)　　　　　1972. 7. 8.

수신　외무부장관

참조　구미국장

제목　왜관소재 캠프.캐롤 (Camp Carral) 기지에 대한 시정사항 협조

1. 미이 723 - 18158 (72. 6. 10)의 관련임.

2. 기지내외의 쓰레기 처리문제에 대하여 경상북도 지사로 부터 아래와 같이 조치하고 있다는 보고를 받았읍니다.

　　가. 기지내 쓰레기 처리: 기지사령부와 동도기업사 (대표: 이상돈)와의 계약에 의하여 동사에서 1일 2회 기지내의 쓰레기를 수거하여 지정된 오물처리장으로 운반 처리하고 있으므로 아무런 문제점이 없음.

　　나. 기지 외곽 지역 및 주변: 왜관읍에서 리어카 13대와 13명의 인부가 오물수거에 종사하고 있으나 운반장비 (추럭)와 인력의 부족으로 기동성 있는 신속처리에 지장을 받고 있음.

3. 위에서와 같이 기지내의 쓰레기 처리는 민간인 업자가 대행하고 칠곡군 당국은 감독권만을 행사하고 있는바 아무런 문제점이 없고 다만 기지주변 지역의 오물수거에는 다소 미흡한점이 있으므로 별첨과 같이 경상북도 지사에게 완벽을 기하는 조치를 강구토록 지시하였사오니 참고하시기 바랍니다.

첨부. 관리 723 -　　　지시공문 (사) 1부　　끝

외　무　부

| 접수일시 | 197. 10시 : 분 | 전자 | 제5 : 27 |
| 접수번호 | 제 24620 | | |

관리 723 -   (70.2481)   1972.   7.   8

내   무   부   장

정부 공문서 규정 제2??조   관 리 과 장 }전결
제2항의 규정에 의하,   세 현

176

내 무 부

군비 723 -   (70.2481)   1972. 7. 8
수신 경상북도지사
참조 기획관리실장
제목 왜관소재 켐프·케롤 (Camp Carol) 기지에 대한 시정사항 협조

1. 군비 723-347 (72.6.17)의 관련임.
2. 칠곡군 소재 켐프·케롤 기지 주변지역의 쓰레기 처리문제에 대한 귀보고에 의하면 인력과 장비의 부족 및 진개처리장의 미설치등으로 오물의 신속하고도 위생적인 처리를 하지 못하여 미군 당국으로부터 시정건의가 있는 것으로 사료되니 위생관념이 특히 높은 외국군인들은 물론 인근주민들의 위생관리와 도시환경 미화를 위하여서도 귀도에서는 오물수거에 완벽을 기할수 있도록 최대한의 지원대책을 강구하고 칠곡군에서는 기지촌 대책 사업의 일환으로 장비와 인력보강책을 수립토록 하여 환경정화 및 청결유지에 만건을 기함으로써 다시금 기지 당국으로부터 여사한 건의가 나오지 않도록 조치할것. 끝

내 무 부 장 관

(177)

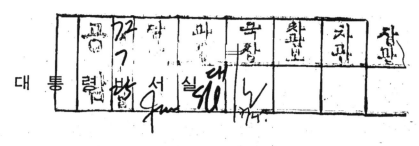

대 통 령 비 서 실

대비정 100 - 152   1972. 7. 20.

수 신   수신처 참조 외무부

제 목   외국군 기지 주변 정화 대책

1. 71.12.22 대통령 각하께서 지시하신 외국군 기지 주변 정화에 관하여 그간 관계부처 및 해당 도, 시, 군은 정화 계획을 수립 예의 추진중에 있는 것으로 사료함.

2. 기지 주변 정화를 위한 72년도 종합 대책 (단기대책)을 별첨과 같이 지시하니 다음 요령에 의하여 조치하고 보고하기 바람.

중앙 각부처 및 해당 도, 시, 군은

가. 중앙대책위에서 확정된 사업에 대한 구체적인 사업계획을 72.7.30 한 보고할 것.

나. 본 정화계획을 발전시킨 장기 계획 (3개년 계획 : 73 - 75)을 수립 72.8.15한 보고할 것.

다. 사업진도를 매월 10일한 보고할 것.

* 보고처 : 각도는 내무부장관 · 각부처는 청와대 정무비서실

대통령지시에 의하여

대 통 령 비 서

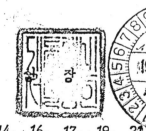

수신처 : 가. 8. 10. ⑪ 12. 13. 14. 16. 17. 19. 20.
                23. 24. 25. 28. 34. 중앙정보부장

              나. 1. 2. 3. 4. 5. 6. 7. 8. 9. 10. 11.

178

外國軍基地村 淨化對策委員會 委員名單			
區分	所屬	職位	備考
委員長	靑互台	政務首席秘書官	
委員	外務部	次官	
〃	内務部	次官	
〃	法務部	次官	
〃	國防部	次官	
〃	保健社會部	次官	
〃	交通部	次官	
〃	文化公報部	次官	
〃	關稅廳	廳長	
〃	京畿道	知事	
〃	總理室	政務秘書官	
〃	經濟企劃院	企劃次官補	
幹事	靑互台	内務保社担当秘書官	

179

外國軍基地周邊淨化綜合對策

72. 7. 20. 樓要.

18D

目　　次

FY 73 - 74 - 75　3계年計劃

health o Sanitation
Rucial problems < street lighting
                    back-alley club

— 1 —

181

推 進 経 緯

| 71. 12. 22 | 大統領 閣下께서 韓美 | 軍団 視察後 基地村 周辺浄化 |

71. 12. 22 　大統領 閣下께서 韓美 | 軍団 視察後 基地村 周辺浄化

　　　　　　　 對策을 樹立하도록 指示.

71. 12. 27 　第 | 次 関係官 会議

　12. 31 　外国軍 基地村 浄化對策 委員会 構成

　12. 31 　該当部処 및 各市.道에 浄化對策 樹立 指示

72. 1. 28 　第 2 次 関係官 会議

　3. 17 　中央對策 委員会 開催

　4. 3 　観光 休養센타 建立을 爲한 関係官 会議

　5. 2 　基地周辺 写眞 撮影 指示

　6. 17 　内務部 所管 事業計劃 最終 確定

182

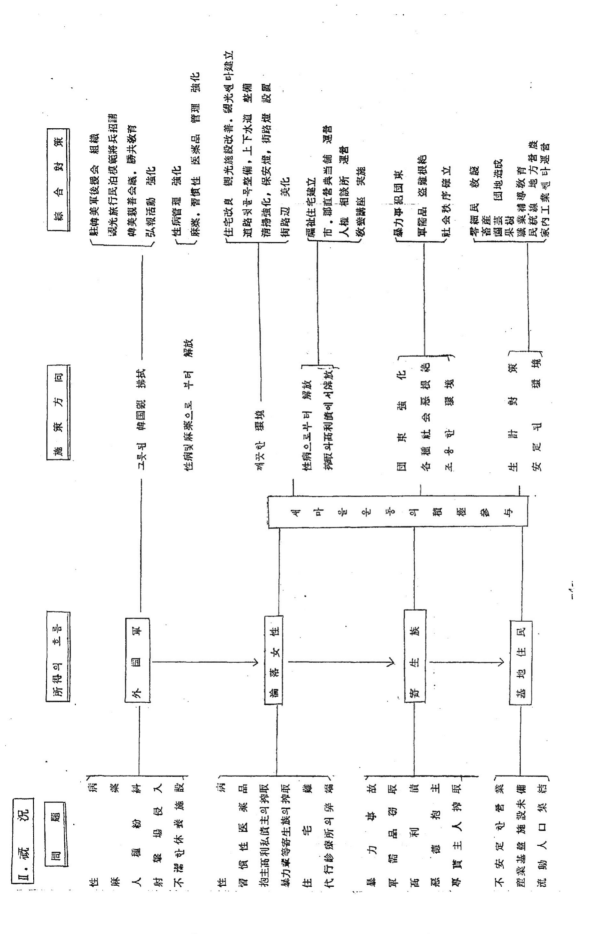

Ⅲ. 基本目標

1. 조용한 環境造成 → 社会對策

2. 性病및 麻藥根絶 → 保健對策

3. 깨끗한 環境造成 → 環境浄化對策

4. 韓国観 改善 → 親善活動對策

5. 安定된 環境造成 → 生活基盤造成對策

-5-

184

Ⅳ. 推進方向

1. 汎国家的으로 불붙고 있는 새마을運動精神을 基地村에 불어넣기 爲하여 淪落女性, 觀光業所 從事者, 住民等을 對象으로 하는 敎育을 強化하며 이러한 敎育強化를 通하여 이들의 自發的 參与를 促求한다.

2. 基地 周辺의 軍·官·民은 새마을運動精神에 立脚, 自体的으로 実践이 可能한것은 優先 実施한다.

3. 問題解決에 있어서 軍·醫·行政機関 相互間의 協調関係改善에 努力하며

4. 各集団의 自治会를 組織, 이를 育成, 活用한다.

—6—

185

Ⅴ. 綜合 対 策

（社会對策）

1. 射撃場 및 訓練場에 民間人 出入을 統制하여 訓練에 支障이 없도록 한다.

　가. 軍警 合同으로 出入을 一切 統制한다.

　나. 隣近 住民 182世帯（1,720名）에 對하여는 3個月間 就労 救設를 実施, 生計에 支障이 없도록 하며 3個月後 転業토록 啓導한다.

　　　　1日1人 3.6kg（保社部 既存豫算）66%

　다. 国防部는 京畿道 連川地域 射撃場 周緯 31,640坪을 追加 徴渋, 訓練에 支障이 없도록 한다（既措置, 年内査定豫定）

　라. 該当 市.郡은 自治会를 組織, 育成活用하며 軍은 弾皮, 破片 等을 射撃終了後 自治会를 通하여 隣近住民에게 分配하여 訓練에 支障이 없고 住民生計에도 도움을 주도록 한다.

2. 暴力事犯一掃等 社会秩序를 確立한다.

　가. 合同巡察強化（治） 130名 増員（既措置）

　나. 檢問所増設 （治） 19個所（6個 常設, 13個 移動 檢問所） （11個로 修正, 既措置）

　다. 団束車輛支援（治） 11台 1,550萬원（自体転用）싸이카 41 台 措置

　라. 檢察支庁 運営 強化（檢） 議政府, 水原, 仁川, 330萬원（既措置）

-7-

186

마. 支派出所運營強化 (治)   33 個所 (実施中)

3. 軍需品 盗難을 防止하고 暗市場을 根絶시킨다.

　　韓美合同 및 関係機関 協調로 団束을 더욱 強化한다.

　　(内務部, 法務部, 国防部 및 関税庁)

　가. 人力増員 (関) 73名 1,819萬원 自体豫算 転用 既 措置

　나. 団束車輌支援 (〃) 13台 986萬원 ⎫ 478萬원 自体豫算転用
　　　　　　　　　　　　　　　　　　　　　⎬ 申請中
　다. 情報蒐集 (〃)　　　　891萬원 ⎭ 1,399萬원 既存豫算

　라. 5部合同 軍需品 団束 (国) 222萬원 (既存豫算, 実施中)

4. 惡德抱主와 高利私債로 부터 이들을 救済하고 保証한다.

　　淪落女性을 惡德抱主 高利私債業者의 搾取와 圧迫으로부터 解放
　　시키고 住宅難을 穏和하여 自立 更生할 수 있는 터전을 만드
　　는 한편 그들을 善導하고 権益을 保護토록 措置한다.

　가. 市 . 郡直営 典当舗運営 (楊州, 平沢)

　　　豫算 및 條例未備로 73計劃에 包含運営 豫定

　나. 人権 相談所 運営

　　　서울, 釜山, 仁川, 議政府, 水原, 大田, 群山 및 大邱等 8個所
　　　検察支庁 検査로 하여금 人権相談을 担当토록 한다.

　다. 教養講座 実施

　　　淪落女性들에게 教養講座를 実施하여 그들의 教養과 資質을
　　　높이는 한편 観光要員의 一員으로서의 矜持와 自負心을 갖도록 한다.
　　　年4回 定期 및 随時実施 (11個地域) 170萬원

　　　(保社部, 市道 및 該当部에서 定期的으로 実施中)

[8]

5. 人種紛糾의 對策

    觀光業所 從事者들에게 定期的인 敎育을 実施하여 音楽 等에
人偽的인 差別을 하지 못하도록 하며 違反業所에 對해서는 強
力히 行政 措置한다.

    ① 觀光業所 從事者 敎育 年4回 実施(市 . 道費 . 実施中)

    ② 談話文 印刷 配付 1,350枚 54萬원 (″   )

188

（保健對策）

1. 外国軍과　淪落女性을　性病으로부터　解放시킨다.

　　豫算2億2千원中　1億2千원은　自体豫算転用　1億원은　糧穀으로

　　確保하여　內務部와　財源代替（自助勤労事業用糧設　既　確保）

　가. 性病　診療所　完備

　　　代行　性病　診療所를　官營診療所로　転換하고　診療를　強化한다.

　　　（各種弊端是正）

　　　① 診療所　新築　및　補修　16棟　8,200萬원

　　　② 診療装備　補強　6組　1,072萬원（顕微鏡　스라이드）

　나. 檢診治療　強化

　　　檢診：70萬名　700萬원（8,800名×44週×2回）

　　　治療：26萬名　5,290萬원

　다. 医師, 看護員　等　要員確保　101名, 3,860萬원

　　　（医師23, 看護員23, 技士23, 事務員　其他23）

　라. 治療對象人員　給食費　支援　2,830萬원

　　　（26萬名　1人1日　107원）

2. 麻薬　및　習慣性　医薬品의　団束을　強化한다.

　　內務, 法務, 国防, 保社　및　関税庁　等　関係　機関의　団束　徹底

　　로　麻薬　및　習慣性　医薬品을　根絶하고　美軍側과　協調하여

　　APO（美軍事　郵便）를　通한　投入　루트를　封鎖한다.

189

가. 韓美合同団束(保)   200件   620萬원(既存豫算, 実施中)

나. 団束車輌支援(〃)   3台   620萬원(自体 豫算 転用)

다. 監視員 配置(〃)   670萬원(既 措置)

라. 鑑識器具補強(〃)   100種   200萬원(自体豫算転用)

마. 鑑識犬確保 및 管理(関)   6頭   194萬원(豫算確保)

19D

(環境浄化対策)

基地周辺의 住宅, 道路, 뒷골목, 上下水道, 街路辺, 観光業所施設等·
을 整備·美化하여 깨끗한 環境을 造成한다.

※該当道·市·郡은 새마을 運動과 聯関하여 이미, 自体的으로 実
施 하고 있으며 京畿道의 境遇 4,30 現在 別紙와 같은 実績
을 올렸읍니다.

1.	住宅改良		953 棟	3,049 萬원 (実施中)
	가. 板子·草家改良		150 〃	400 〃
	나. 不良住宅撤去		348 〃	1,273 〃
	다. 〃 改良		333 〃	1,068 〃
	라. 便所改良		43 〃	40 〃
	마. 福祉施設		79 個所	268 〃
2.	道路			24,225 萬원 (〃)
	가. 道路拡張 및 整備	$L=2,800m$ $B=4\sim35m$		13,407 〃
	나. 街路築造	$L=4,2km$ $B=4\sim10m$		5,190 〃
	다. 카드레일設置	$L=1.4km$		280 〃
	라. 뒷골목鋪装	$L=5,1km$ $B=4\sim9m$		1,254 〃

-12-

19/

마. 側溝 設 置　　　　　L=4.2 km 2,610 萬원

바. 橋 梁 架 設　　　　　2 個所　　160　 〃

사. 步 道 鋪 裝 (부력)　L=2.6 km
　　　　　　　　　　　　B=2~9 m 1,324　 〃

3. 上 下 水 道　　　　　　　　11,160 萬원　(実施中)

　가. 上 水 道　　　　　3 個所　4,600　 〃

　나. 下 水 道　　　　　10 km　6,560　 〃

4. 街路燈 및保安燈　　　　　　2,781 萬원　(地方費)

　가. 街 路 燈　　　　567 燈　2,063　 〃　　(実施中)

　나. 保 安 燈　　　1.146 〃　　718　 〃　　(〃)

5. 観光業所 施設을 改善한다.

　가. 不良施設改善　　96 個所　5,360 萬원(自担.実
　　　　　　　　　　　　　　　　　　　　　施中)
　나. 衛 生 檢 査　　　　月1回

　다. 從業.員教育　　　年4回

　라. 観光休養센타　　　1 個所　5,651　 〃(自担.既実施)

✓ 6. 観光센타建立

追後 観光担当 秘書室과 協議하여 京畿道 平沢 및 東豆川
地域에 綜合観光 센타 建立에 対한 最善의 結論을 얻도록
하겠읍니 다.

-13-

192

環境 浄化 実績 （京畿道）

72.4.30 現在

事 業 名	計 劃	実 績	備 考
不 良 住 宅 改 良	194 棟	182 棟	
울 타 리 改 良	26 〃	26 〃	
便 所 設 置	72 個所	67 個所	
花 壇 設 置	11 〃	9 〃	
案 内 板 設 置	3 〃	3 〃	
下 水 溝	48 〃	107 〃 (6.678 m)	
마 을 안 길 拡 張	3.696 m	4.626 m	
石 築 및 暗 渠	1.399 m	3.884 m	
小 橋 梁	14 個所	10 個所	
마 을 会 舘 建 立	4 棟	4 棟	
公 衆 沐 浴 湯	1 棟	2 棟	
小 河 川 改 補 修	1.100 m	2,100 m	
街 路 樹 （造 林）	500 本	560 本	
共 同 井 戸	22 個所	20 個所	
문 패 달 기	409 個	364 個	
道 路 補 修	210 m	210 m	

-14-

193

1. 駐韓美軍　後援会　組織　（中央）

　　海外弘報協会　主管下에　駐韓美軍　後援会를　組織，　外国軍
　　将兵을　招請，　観光旅行，　民泊，　姉妹結縁等　韓美間의　親
　　善을　図謀　한다.

　가. 模範将兵　招請　및　旅行案内　（870　名）

　　　1泊2日　코一스로　古宮　및　市内와　産業施設　観光
　　　国防部　30名　（国軍의날）　90萬원（既確保 10.1 実施豫定）
　　　文公部　480名　（月1回 40名） 1160萬원　（42名　既実施）
　　　交通部 360名　（月1回 30~40名）317萬원　（豫算確保）
　　　（国際観光公社）

　나. 民泊周旋

　　　海外弘報協会는　駐韓美軍　後援会를　通하여　韓国家庭生活을
　　　経験함으로서　韓国에　関한　理解를　높이고，　親善을　増進
　　　시키도록　民泊을　周旋한다.

　다. 姉妹結縁

　　　海外弘報協会主管으로　各級　社会団体　및　学校에　依頼　姉
　　　妹結縁周旋.

2. 韓美親善　会議　組織　（地方）

-15-

194

各地域 単位로 市長, 郡守主管 韓美親善会議를 組織하여 보다많은 모임을 通하여 韓美間의 友宜를 敦篤히 하는 한편 韓美間에 発生하는 諸般問提를 解決하고 懇談会, 体育大会等을 開催하여 親善을 図謀한다.

3. 勝共教育実施（ 1,500 名 ）

오늘날 韓国이 処하여 있는 軍事 및 非軍事的 実情. 特히 北傀의 排発危脅을 正確히 把握할 수 있는 機会를 賦与한다.

中央情報部　600 名 334 萬원（ 3 月부터 実施. 204 名既実施 ）
国　防　部　900 名 964　〃（自体豫算転用. 既確保　193 名
　　　　　　　　　　　　　　　　　　既実施 ）

勝共教育（ 中情. 国防部 ）後　古宮. 워커힐等　市内観光　및　輸出 工団視察.

4. 各種弘報活動強化

外国軍에 対한 各種 弘報活動을 強化하여 韓国에 対한 올바른 印象을 浮刻시킨다.

가. 海外弘報 資料 刊行物　配付（ 文公部 ）10.200 部　（ 実施中 ）
나. 道. 市. 郡　弘報資料 刊行物　配付　　　　　　　　（　〃　）
다. 映画上映（ 文公部 ）地域文化院活用　　　　　　　（　〃　）
라. AFKN　時間　割愛

-16-

195

마. Hello Korea 푸로그램 (韓国綜合紹介行事)

　　年 36 回 374 萬원 (5 回既実施)

　　(映画, 古典舞踊, 胎拳道, 패널 디스커�션, 刊行物配布)

바. Korea House 運営 （文公部） （週 4 回） （実施中）

사. 古宮無料観覧 （文公部） 　　　　　　（ 〃 ）

－17－

196

（生活基盤造成対策）

1．零細民救護

　　京畿道　一円　基地　周辺　零細民에　対하여　救護糧穀을　支給한다.
　　14,942 名　　523 M/T　　2,594 萬원（既存予算）

2．主産団地造成

　　各種団地（畜産，園芸，彩蔬，果樹）를　造成하여　基地　景気에　限
　　定되어　있는　所得源을　넓힌다.
　　計　2,113 萬원中，農林部　補助 815 萬원　既確保
　　（1,200 萬원　融資　　133 萬원　地方費，184 萬원　自担）
　　가．養　　　　豚　　300頭　（農）　765 萬원（自体予算転用申請中）
　　나．韓　　　　牛　　100″　（″）800　″　（既措置）
　　　　　　　　　　　　　　　　　　（融資）
　　다．菜　　　蔬　　　5 ha　（″）　38　″　（　″　）
　　라．비닐하우스　　122個所（″）198　″　（　″　）
　　마．果樹 団地　　21 ha　（″）312　″　（　″　）
　　　　　　　　　　　　　　　　（181 萬원은 融資）

3．職業輔導施設　拡充

　　職業輔導施設을　拡充하고　教育을　強化하여　職業의　機会를　賦与
　　한다.
　　가．職業輔導施設拡充　4個所（労）　1,510 萬원（自体予算転用）
　　나．職業輔導実施　1,067 名（労）　2,593 萬원（自体予算転用）
　　　　（理容，美容，編物，洋裁，手芸，自動車，打字）

-18-

다. 韓美協同 職業 訓練 300 名 (京畿道 美軍)

      60 萬원 (講師料)

4. 家內工業센타 設置

   2 個所 (勞) 500 萬원 (旣存予算, 旣措僵)

   (1 個所 新築 300 〃)
     1 個所 增築 200 〃

-19-

19)

Ⅵ. 総事業費 内訳

1. 対策別, 地域別 事業費 内訳

(単位：千원)

事業名	事業費 計	서울	釜山	京畿 地区 別 内容 小計	仁川	議政府	錦州	平沢	坡州	其他	忠南	全北	慶 小計	大邱	北漆谷	其他
総計	1,070,167	159,075	38,530	457,536	57,339	95,138	88,673	145,772	97,470	9,144	21,497	112,253	250,608	205,925	46,493	30,688
社会対策	77,691	16,147	6,581	33,741	7,805	6,268	5,221	6,651	5,173	2,625	4,996	4,593	9,419	5,486	5,933	2,220
保健対策	380,435	43,250	24,559	242,461	59,994	33,845	54,766	73,365	40,491	—	10,552	17,111	42,522	31,647	10,875	—
環境浄化対策	480,972	96,250	6,960	99,658	1,950	11,190	19,808	55,390	9,626	3,900	4,410	84,494	189,000	162,000	27,000	—
親善活動対策	33,358	1,000	450	2,050	320	320	320	520	570	—	270	270	850	550	300	28,468
生活基盤造成対策	97,711	2,428	—	79,426	7,270	7,515	8,558	11,846	41,616	2,621	1,275	5,765	8,817	4,242	4,575	—

2 . 国費財源内訳

予算別 部処別	合 計	既 存	目 間 転 用	追 加 支 援
総 計	394,277	61,507	215,991	116,779
内務部地方局	101,035		‐	101,035 （地方交付税）
〃 治安局	24,074	3,900	20,174	
法 務 部	3,340		3,340	
国 防 部	12,760	2,220	10,540	
農 林 部	8,150	‐	8,150	
商 工 部	3,000	‐	3,000	
保 社 部	160,141	46,777	113,364	
交 通 部	3,172	‐	3,172	
文 公 部	11,410	8,610	2,800	
関 税 庁	38,722	‐	22,978	15,744 （予備費，既措置）
労 動 庁	25,127	‐	25,127	
中 情	3,346	‐	3,346	

-21-

200

3. 地方費 및 自担財源内訳

予算別 市.道別		地 方 ・ 費			自 担
		計	市 ・ 道	市 ・ 郡	
総 計		524,915	396,195	128,720	150,975
서 울		133,012	133,012		5,600
釜 山		25,636	25,636		760
京 畿	小 計	133,895	61,123	72,772	57,593
	仁 川	25,803	7,055	18,748	6,500
	議 政 府	19,972	6,894	13,078	4,500
	楊 州	29,160	14,324	14,836	13,018
	平 沢	36,221	21,225	14,996	8,000
	坡 州	22,739	11,625	11,114	25,575
大 德		5,219	2,716	2,503	1,110
沃 溝		20,598	8,156	12,442	64,222
慶 北	小 計	206,555	165,552	41,003	21,690
	大 邱	174,470	149,554	24,916	16,690
	漆 谷	32,085	15,998	16,087	5,000

-22-

Ⅶ. 事後管理

1. 関係部処 및 該当道・市・郡은 中央対策委에서 確定된 事業에 対한 具体的인 事業計劃을 72. 8. 15限 青瓦台 政務秘書室에 報告한다.

2. 関係部処 및 該当 道・市・郡은 72. 6. . 부터 確定된 施策을 遡及実施한다.

3. 該当 道・市・郡은 毎月 10日까지 事業進度를 内務部長官에게 報告하여 中央各部処 및 内務部는 이를 青瓦台 政務秘書室에 報告한다.

4. 関係部処 및 該当 道・市・郡은 本浄化計劃을 発展시켜 基地周辺 浄化를 為한 3個年計劃을 樹立 72. 8. 15까지 青瓦台 政務秘書室에 報告한다.

202

기 안 용 지

분류기호 문서번호	미이 723 -	(전화번호)	전결규정 조항
			장관 전결사항

처리기간	
시행일자	
보존년한	

전결

차 관   장 관

보조기관	차관보	
	국 장	
	과 장	

협

기안책임자	권 찬 북미2과 (72. 7. 29	

반입 102 4623
1972 8. 3
외무부

접열
1972. 8.3
통제반

경 유	
수 신	정와대 대통령 비서실장
참 조	정무수석 비서관

제 목	외국군 기지촌 정화대책에 관한

대 : 비정 100 - 152

대호로 지시한 외국군 기지촌 정화 대책에 관한 사업진도를

별첨 보고합니다.

첨부 : 보고서 1 부.

~~한.미 군민관계 임시분과위 진자료~~ 끝.

	정서
	관인
	발송

203

공통서식1-2(갑)
1967. 4. 4. 승인

190 mm ×268 mm (1급인쇄용지70g /㎡)
조달청 (500,000매인쇄)

SOFA 한.미국 합동위원회 군민관계 임시분과위원회 - 주한미군 기지촌 정화 대책, 1972 217

기지촌 정확물 위안 외무부 사업진도 보고

1972. 7. 31.

I.   군.민 관계 분과위 활동상황

1.   1971. 9. 2.

한.미 합동위원회의 실무 기관으로 군민관계 임시분과위원회
(The Ad Hoc Subcommittee on Civil-Military Relations)
를 신설함.

2.   1971. 9. 22.

제2차 군.민관계 분과위원회는 그 산하에 한.미 실무자로
구성되는 7개조 사반(Panel   )을 구성함.

3.   1972. 4. 26. 현재

군.민관계 분과위원회는 기지촌 정확물 위안 대책으로 34개의
건의사항을 채택, 통과시키고 이를 관계부처가 시행중에 있음.

4.   1972. 6. 9. 현재

총 16차 (별첨 1)에 검친 한.미 합동 기지촌 시찰, 실정을
파악했음.

5.   1972. 7. 31. 현재

총 12차에 검친 군.민관계 합동회의를 개최하고 동 분과위원회
활동 사항을 점검하고 있으며, 안편 7개 조 사반에서는 계속
실무자 회의를 진행시키고 있음.

II. 구체적 시행사항

SOFA 합동위원회는 아래사항을 채택, 통과시키고, 이를 관계부처가 시행중에 있음.

1. 마약 단속

가. 마약과 습관성 약품의 불법거래 및 매매행위에 대한 통제

(1) 미군 우편시설을 통하여 마약 및 부정약품이 한국에 불법 반입되는 것을 방지하기 위하여 미군당국은 우편 경로를 통한 약품의 불법유입을 방지토록 모든 노력을 경주 할것.

(2) 마약과 부정약품의 상습 복용자에 대하여 아래와 같은 통지를 강구 할것 :

(가) 미군 당국은 상습 복용자의 신원을 확인하여 분리 치료 및 이들을 후송시킬것.

(나) 한국당국은 마약을 상습 복용하는 위안부들의 영업행위 금지토록 할것.

(3) 마약거래자와 마약 초기 복용자에 대하여 적절한 행정적 또는 형사적 조치를 취할것.

나. 주한미군에 대한 약품판매 통제

1970. 11. 3. 공포한 대통령 명령 제5378호에 포함되는 약품의 판매는 여하한 경우에도 의사의 처방없이는 미군 에게 판매하지 말것.

205

2. 도난 및 암시장

　가. 도난 및 암거래문제 방지책

　　(1) 주한미군 당국은 미군장비를 훔쳐서 한국인에게 판매
　　　　하는 미군인에 대한 처벌결과를 요약형식으로 한국
　　　　정부에 통보할것.

　　(2) 주한미군 당국은 한국관계 당국과 협조하여 P.X.
　　　　및 코미써리(commissary)의 지단 품목용
　　　　더욱 추가할 것이며, 군인 사병이 필요한 적적량
　　　　이상의 물품이 흘러나오지 않도록 감시하는 방지책을
　　　　더욱 보강할것

3. 한·미 합동 순찰반

　설치 가능한 장소에는 어느곳에나 합동 순찰반을 설치하여
　정보의 교환 및 상호 문제검을 모의토록 촉구함.

4. 인종 차별

　주말 또는 봉급날등과 같이 미수의 미군 고객이 모임 시기에는
　고객수에 알맞는 종업원을 배치토록 권장하고, 음악 극목선역에
　있어서도 고객들의 기호에 따라 균형있게 선택할것을 권장함.

5. 한·미 문화의 상호 이해를 위한 활동 강화

　가. "Hellow Korea" TV 프로그램 촉진
　나. 한·미 문화 이해를 위한 자료 제작 장려

다. 가정방문 계획 (Home-visit program) 권장

마. 한.미 친선협의회 설치 장려

마. 국제 친선협회 (PTP) 한국지부의 설립 승인과
한국내의 친선협의회 설립 장려

207

(별첨 1)

한.미 합동 기지촌 시찰

1. 1971. 9. 10.   동두천 — Camp Casey

2. 1971. 9. 13.   평택군 안정미 — Camp Humphreys

3. 1971. 9. 24.   평택군 송탄읍 — Osan Air Base

4. 1971. 9. 28.   대구 — Camp Henry Walker

5. 1971. 9. 30.   부평 — ASCOM

6. 1971. 10. 7.   군산 — Kunsan Air Base

7. 1971. 10. 28.   이태원, 용산

8. 1971. 11. 14 – 15. 부산 — Hialeah Compound

9. 1971. 11. 30.   파주군

10. 1971. 12. 3.   대전 — Camp Ames

11. 1972. 2. 25.   평택군 안정미 — Camp Humphreys

12. 1972. 3. 30.   동두천 — Camp Casey

13. 1972. 5. 1.   부평 — ASCOM

14.   1972. 5. 10.   춘천 — Camp Page

15.   1972. 6. 2.   왜관 — Camp Carroll

16.   1972. 6. 9.   진해, 마산 — 44th Eng Bn

209

전(변)

내　　　무　　　부

관리 723 - *P615* (70.2481)　　　　　　1972.　8.　17

수신　외무부장관

참조　구미국장

제목　한미 합동 위원회 회의 개최 결과 조치

1. 미이 723 - 24403 (72. 8. 1)과 관련 있음.

2. 합동 위원회 회의록 (첨부물 제25) 중 지방관서와 관련되는

사항을 별첨과 같이 해당되에 통보하였기 알려 드립니다.

첨부. 관리 723 - *P614* (72. 8. 17) 공문사본 1부　30ℓ 끝

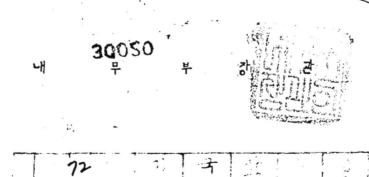

내　　　무　　　부

30050

	72		국		
	8		장		
	28				

내 　　무　　　부

관리 723-　　　　　　(70.2481)　　　1972.　8.　17

수신　경상북도지사, 경상남도지사
참조　기획관리실장
제목　한미 합동 위원회 회칙 결과 통보

　　　한미 합동위원회 제75차 (72.7.6) 회의록중 귀도에 관련되는
시항을 아래와 같이 발췌 통보하니 업무 수행에 참고할것.

　　1. 72. 6. 2 한미 합동 위원회 군민관계 분과위원 왜관소개
캠프. 케롤방문시 ······ "한국군서로 하여금 기지촌의 쓰레기를 적시
에 처리하고 가로등의 계수와 하천의 복귀에 더큰 관심을 기울여 줄것.
(해당도: 경상북도. 관리 723 -347. 72. 6. 17와 관련됨)

　　2. 72. 6. 5 군민관계 분과위원 창원군 미제 44 공병단을 방문
시 ······ 이 지역의 군민관계는 대체로 양호하나 성병감염율은 기계
촌의 업대부들이 대규모 이동이 있는 이후 과거 1. 2 개월전에 비하여
실질적으로 증가있다. 이 지역에 별 문제점은 없으나 약품 통제를
보다 강화하고 외국어를 하는 한국 경찰의 배치가 요망됨"　　　끝

　　　　　내　　무　　부　　장　　관

끝

공 란

공 란

공   란

공 란

공　　란

공   란

공   란

공 란

공   란

공　　　란

공   란

1. 성병의 원인 제거

　가. 성병 진료소

　　　외국군 주둔지역에 성병관리를 철저히 실시하기 위하여
　　　11개지역에 성병진료소를 72.12.30까지 완공, 73년도
　　　부터 진료를 실시할 계획임.

　　설치지역

구분	개소	지역
서울	1개소	이태원
부산	1	초량
경기	5	부평, 의정부, 양주, 평택, 파주
충남	1	대덕
전북	1	군산
경북	2	대구, 칠곡

　나. 일제단속

　　　기지촌주변에 성병의 전염원을 색출하기 위하여 일제
　　　단속을 실시하고 있음.

　　1) 단속기간 : 72.10.29 ― 12.31

　　2) 단속대상지역 : 외국군 기지주변 전역

　　3) 단속반: (보건소요원, 관할경찰서, 부녀계직원) 합동 반편성

　　4) 단속기간중 적발된 미등록자 및 검진불응자는 검진을
　　　실시하여 감염자로 판명된자는 전원 수용및 종원
　　　치료 시켰음.

223

12.5현재 실적

12.5현재 등록수 : 11,936명

12.5까지 검진수 누게 : 87,457명

〃 감염수 누게 : 7,455명

(수용치료 : 2,147명 통원치료 : 5,308명)

다. 일제검진

외국군 기지주변에 대한 성병의 정확한 감염실태파악과 전염원을 제거할 목적으로 의과대학 부속병원 소속 전문요원의 협조를 얻어 일제검진을 실시하였음.

1) 실시지역 : 서울및 경기도(인천, 의정부, 양주, 파주, 평택)

2) 실시기간 : 72.12.27 ─ 12.6(10일간)

3) 검진대상 : 기지주변 특수여성 전원

4) 검진결과에 대한 검사는 국립보건연구원에서 실시 중에 있음.

5) 지역별 검진반

서울 (용산) 1개반

경기 (인천) 2

(의정부) 1

(양주) 3

(파주) 2

(평택) 3

계 12개반

224

2. 73년도 사업계획
   가. 성병관리

사업명	계획	예산
성병관리		23,341,000
성병검진	1,240,000	지방비
성병치료	101,500	22,776,000
성병진료소운영	10개소	지방비
요원인건비	58명	"
행정요원	1명	565,000

225.

5. 성병감염실태

시도별 성병 감염실태

	10월누계			9월			10월		
	등록수	감염자	율	등록수	감염자	율	등록수	감염자	율
계	200,700	3,290	17.1	20,839	3,697	17.7	22,397	5,361	23.9
서울	11,196	2,625	23.4	1,135	268	23.6	1,362	416	30.5
부산	29,902	4,487	15.0	2,623	448	17.1	2,951	495	16.8
경기	82,101	12,661	15.4	8,713	1,598	18.3	8,872	2,682	30.2
강원	21,769	3,137	14.6	1,938	369	19.0	2,142	374	17.5
충북	598	7	1.2	62	2	3.2	63	5	7.9
충남	5,460	1,131	17.5				847	128	15.1
전북	10,212	4,386	42.9	1,032	387	37.5	978	397	40.6
전남	9,618	1,475	15.3	1,787	146	8.2	1,585	227	14.3
경북	10,970	2,635	24.0	1,380	319	23.1	1,415	397	28.1
경남	15,667	1,477	9.4	1,947	138	7.1	1,735	190	11.0
제주	2,296	219	9.5	222	22	9.9	447	50	11.2

지역별 성병감염실태(경기도)

	10월누계			9월			10월		
계	74,044	10,590	14.7	7,351	1,524	20.7	8,109	2,608	32.2
인천	11,112	2,621	23.6	931	264	28.3	1,039	255	24.5
의정부	7,185	609	8.5	729	109	14.9	755	82	10.9
양주	21,602	3,422	15.8	2,254	464	20.6	2,510	1,062	42.3
평택	17,359	2,264	12.7	1,806	370	19.5	2,029	776	38.2
파주	14,106	1,654	11.7	1,449	295	20.4	1,776	433	24.4

226

I. Eradication of Veneral Diseases Sources

1. Veneral Diseases Clinic

In order to make a through going control of veneral diseases in the areas adjacent to foreign military bases (camp communities), 11 V.D. clinics will be constructed not later than the end of 1972 and will start the exanination and treatment activities in 1973.

Constructed province	No. of clinics	Districts
Seoul	1	Itaewon
Pusan	1	Chryang
Kyonggido	5	Buppong Ui jeongb *Yangju, pyongtack. paju.*
Chungnam	1	Daedog
Chunpuk	1	Koonsan
Kyongpuk	2	Taekoo, Chilkok
Total	11	

2. General Control

A General Control is being implemented in all camp communities for the purpose to find out the epidemic Sources of V.D.

A. Period   : 29 Oct. - 31 Dec. 1972

B. Object   : All base communities

C. Control team : Composed of health Center Personnel, police and woman welfare personnel.

D. The un-registered persons,checked during the above period,and unexaminees are examined in force and confirmed cases will be treated in the clinics, admitted or not.

<u>Accomplishment as of 5 Dec. 1972</u>

No. of register   : 11,936

No. of examinees   : 87,457

No. of infected cases : 7,454

(Inpatients : 2,147, out-patients: 5,308)

3. A mas-examination was made for the registered or checked
cases with the cooperation of the experts in the refered
medical school hospitals, for the purpose to get the
exact information of V.D. infection and remove the in-
fection sources.

A. Area : Seoul and Kyonggido (Inchon, Euijongbu,
Yangju, Paju, Pyongtaek)

B. Period : 27 Nov - 6 Dec. (10 days)

C. Object : All prostitutes in camp communities.

D. The Examinned specimen are transpered to NIPH
for confirmation.

E. Examining team by districts

Seoul Yongsan		1 team
Kyonggi,	Inchon	2 team
	Euijongboo	1 "
	Yangju	3 "
	Pajoo	2 "
	Pyongtaek	3 "
	Total	12 team

228

II. 1973 V.D. Control Plan

Program	Target	Government Budget
V.D. Control	Total	23,341,000
Examination	1,240,000	Local budget
Treatment	101,500	22,736,000
Operation of V.D. clinics	10 clinics	Local budget
Wages & Subsidies for V.D. workers	58	- do -
Administrative personnel	1	565,000

Present Status of V.D. Infection by City and Province

	Total as of end of Oct.			September			October		
	Registered	Infected	%	Registered	Infected	%	Registered	Infected	%
Total	200,789	34,290	17.1	20,839	3,697	17.7	22,397	5,361	23.9
Seoul	11,196	2,625	23.4	1,135	268	23.6	1,362	416	30.5
Pusan	29,902	4,487	15.0	2,623	448	17.1	2,951	495	16.8
Kyonggido	82,101	12,661	15.4	8,713	1,598	18.3	8,872	2,682	30.2
Gangwondo	21,769	3,187	14.6	1,938	369	19.0	2,142	374	17.5
Chungbukdo	598	7	1.2	62	2	3.2	63	5	7.9
Chungnamdo	6,460	1,131	17.5				847	128	15.1
Chunbuk	10,212	4,386	42.9	1,032	387	37.5	978	397	40.6
Chunnam	9,618	1,475	15.3	1,787	146	8.2	1,585	227	14.3
Kyungbuk	10,970	2,635	24.0	1,380	319	23.1	1,415	397	28.1
Kyungnam	15,667	1,477	9.4	1,947	138	7.1	1,735	190	11.0
Jeju	2,296	219	9.5	222	22	9.9	447	50	11.2

230

Present Status of V.D. Infection by Districts

	Total as of end of Oct.			September			October		
	Registered	Infected	%	Registered	Infected	%	Registered	Infected	%
Total	72,044	10,590	14.7	7,351	1,524	20.7	8,109	2,608	32.2
Inchon	11,112	2,621	23.6	931	254	28.3	1,039	255	24.5
Euijongboo	7,185	609	8.5	729	109	14.9	755	82	10.9
Yangju	21,682	3,422	15.8	2,354	484	20.6	2,510	1,062	42.3
Pyungtaek	17,959	2,284	12.7	1,888	370	19.5	2,029	776	38.2
Paju	14,106	1,654	11.7	1,449	295	20.4	1,776	433	24.4

대 통 령 비 서 실

대비정   100-2 (75-0031)   1972. 12. 30.

수 신   수신처 참조 외무부

제 목   기지촌 대책 '72 실적 및 '73 계획 제출

　　　　'72 기지촌 대책 사업 추진 실적과 '73 기지촌 대책
사업 계획을 다음에 의하여 작성 73. 1.12 까지 관기관 지참
제출할 것.

첨 부 : ① '72 기지촌 대책사업 추진실적보고서 작성요령 1 부
        2. '73 기지촌 대책사업 계획보고서 제출요령 1 부 끝.

　　　　　　　대 통 령 비 서
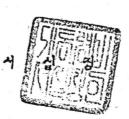

수신처 : 가 8. 10. 11. 12. 13. 14. 16. 17. 19. 21.
        23. 24. 25. 28. 34. 중앙정보부장
        나 1. 2. 3. 4. 5. 6. 7. 8. 9. 10

발송 1973. 1. 5 대통령비서실

232

'72 基地村 對策 事業 推進 實績 報告書

作 成 要 領

1. 事業總括

○ 事業別

事業別 \ 區分	事業件數	事業費			推進物		實績	
		計	國費	地方費	物	達量 %	金	額 %
計								
1. 保健 및 保衛事業								
2. 社會淨化事業								
3. 環境改善事業								
4. 軍美親善活動								
5. 生活基盤造成								

○ 市道別

市道別 \ 區分	事業件數	事業費			推進物		實績	
		計	國費	地方費	物	達量 %	金	額 %
計								
서울								
山藏								
南								
北								

2. 不振事業 調書

事業名	不振事由	事業費			進度(%)	不振事由	對策(展望)	備考
		計	國費	地方費				

3. 細部事業別 推進狀況

事業名	細部事業名	農地柄 目標量	事業費				進度 分量物 準月 實物 實質					備考
			計	國費	地方費	自己負擔	物量%	金額%	物量%	金額%	金% 質%	

4. 事業 效示

事業 效果는 莫然한 羅列式의 展示化를 止揚하고 計數的인 比較 等으로 物量的 效果面을, 具体
的으로 明記하과 同時에 向後 対象을 마무려 記述할 것

例)

○ 罹病 感染率은 論名 及 9中 總 及 9中 71年末 및 %인데 72年末 및 %로서 罹病
感染率이 減少 되었다
感染率이

○ 軍需品 窃盗 回收件數는 71年末에 및 件 이데 72年末 및 件으로서 및 %가 減少 되
였다

5. 主要事業 推進状況 (写真)

事業前後 対比 推進状況 写真 (3 × 4") 添付

-3-

作成要領

1. 事業概括

(1) 事業件數는 細部事業數임

(2) 事業費는 實踐計劃에 依함

(3) 事業費에 自負擔이 있을때는 國費 地方費 欄外에 自負擔欄 設置記載

(4) 物量實績은 事業費比重에 依한 加重値 進度

(5) 金額實績은 執行額 및 執行比 記入

2. 不振事業 調書

(1) 細部事業別로 不振事業 (進度 40% 未滿事業) 把握

(2) 不振事由는 具體的으로 明示

(3) 對策 및 展望은 明確히 記載

3. 細部事業別 推進狀況

  (1) 事業名 細部事業名 別表 例示 參照

  (2) 基地村別은 市郡別로 區分記載

  (3) 推進實績은 今月分(12月分)과 年間累計 把握記載

4. 事業推進 機關別 實績報告書 作成

前記實績(1~3)에 따라 다음과 같이 事業推進 機關別로 實績報告書를 作成하되 機關間(特히 地方官署間) 實績計數가 一致되도록 格別 留念할것

  (가) 地方(市·道·市·郡·邑·面) 計劃으로 家民의 事業中

  (나) 地方行政機關(市·道·市·郡·邑·面)이 直接 推進하는 事業

  (다) 國家地方官署(地檢·警察官署等)가 推進하고 그 實績 다음 地方行政機關에 通報하는 事業

(2) 地方 (市·道 市·郡 邑·面) 計劃에 包含되지 않고 國家官署가 直接 推進하는 事業

注. ㅇ 市·道에서는 地方計劃에 全 事業의 實績을 正確히 把握作成하되 前記 (나)項 實績은 關係

國家地方官署로 부터 通報 받을 것.

ㅇ 各部處는 傘下 地方官署로 부터 正確한 實績을 把握作成 하고 同時 그 實績이 前記 (1)의 (나)項에

展開하는 實績은 地方行政機關 (市·道 市·郡 邑·面)이 無漏 通報될 것.

事業 및 細部事業 例示

區分	事業	細部事業
保健醫療事業	1. 性病豫防 및 治療	1. 性病診療所 新築 2. 性病診療所 補修 3. 裝備 確保 4. 性病檢診 및 診療 5. 要員 確保 6. 給糧 費 7. 性病診療所 管理運營
	2. 麻藥 및 習慣性 醫藥	1. 算美 合同 團束 2. 團束車輛 確保 3. 團束 起訴 監視 4. 鑑識 技術 確保
	3. 觀光業所 衛生對策	1. 不良 施設 改善 2. 衛生 檢査 3. 從業員 健康診斷 4. 從業員 素養教育
	4. 清掃	1. 糞尿 펌프 設置 2. 糞尿車輛 리어카 購入 및 運營 3. 塵芥車輛 및 리어카 購入 및 運營 4. 塵芥處理場 施設 5. 清掃夫 增員 6. 厠所 備 設置
	5. 修移 後防	1. 修移 後防

~ 7 ~ (2)

'73 基地村 對策 事業 實踐 計劃書

作 成 要 領

目　次

242

新書 및 體制

(2)

品

一

等

'73 基地村 對策 綜合 實踐 計劃

○○○ 部(廳)

(3)

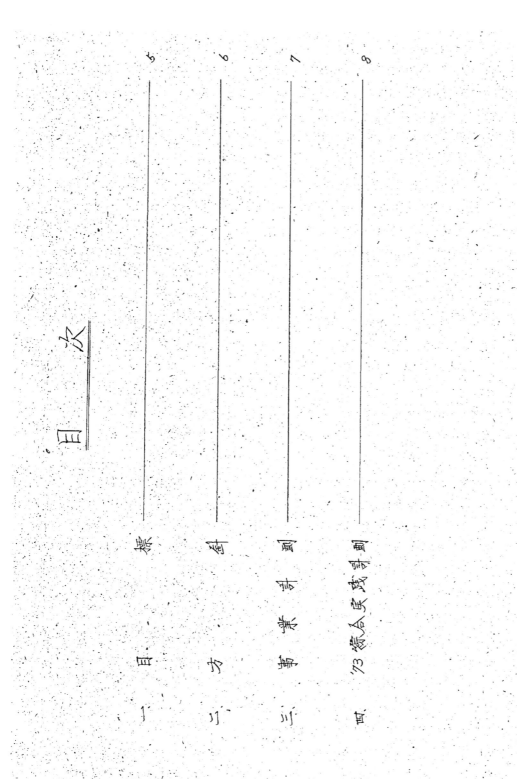

目 次

(4)

目 標

外国軍 駐屯地域의 村落 또는 그 隣近地域의 環境淨化로서 이 項目規을 올바르게 認識시키는데 있음.

1. 全国 ⑩ 基地村의 環境 및 衛生淨化와 社会惡 根絶

2. 外国人에 対한 健全한 安復感 提供

3. 淪落女性에 対한 精神啓導 및 保護

  ※ 基地村 概念

  外国軍 駐屯地域 및 그 隣近地域

  ① 外国軍 駐屯地域 周辺

  ② 外国軍人의 日常生活하는 聚落 및 그 周辺

  ③ 外国軍人의 遊興場所 周辺

(5)

二 方 針

1. '73 基地村 對策綜合實踐計劃 樹立推進
   ── 地域別로 郡單位

2. 地域別 事業의 優先順位 策定
   ── 年次別 實踐計劃 樹立 推進

3. 地域別 財源支援
   ── 國庫支援   원(%), 道費支援   원(%), 郡費   원(%)

4. 實踐計劃 推進責任制 實施
   ── 道, 市, 郡, 邑, 面 單位(警察官署 已含)로 分擔키로 責任担当官制 實施

(6)

三. 事業計劃

区分	事業	細部事業	目標量 (計劃量)	事業效果	備考

(7)

2490

四. 実践計劃

(單位：千원)

1. 実践計劃 總括

區分	事業	細部事業	目 地村別	優先順位	目標量	計	事 業 費 目費	地 小計	業 費 道費	市郡費	自負担	備考
3 環境改善事業			例) 東豆川邑 原州里	1								
			別內面 高山里	2								
			楊州郡 廣岩里	3								
		1. 道路 法未 및 整備	楊州郡 抱山里	1								
			別內面 高山里	2								
			楊州郡 廣岩里	3								

(8)

(單位:千원)

區分	事業	細部事業	基地村別	優先順位	目標量	計	事業費 項目	事業費 地方費 小計	事業費 道費	事業費 市郡費	事業費 自負担	備考
		1. 도로부킬	파주군 법원리	1								
			연천면 고산리	2								
			파주군 광명리	3								
		2. 밑고로 상수	파주읍 고산리	1								
			파주읍 법원리	2								
			〃 광명리	3								

2%

2. 基地村別 實踐計劃

基地村名 : 東豆川邑 標山里

(單位:千원)

區分	事業	細部事業	優先順位	目標量	計	事業費				自負擔	施行期間	擔當官	備考
						小計 (地)	中央費	道費	市郡費				
1. 保健対策事業	疾病豫防 및 治療	1. 傳染病 診療所 설치	1										
		2.　〃　補修	6										
		3. 裝備 確保	2										
		4. 傳染病檢診 및 治療	3										
		5. ------	7										
		6. ------	8										

(10)

区分	事業	調查事項	優先順位	目標量	所要予算 計	国費	地方費 小計	道費	市郡費	自負担	施行期間	担当官	備考
3 環境改善事業	道路補充及整備	1. 赤道 무러	4										
		2. 잇글목 補裝	5										
		3. -------	13										
		4. -------	20										

第 二 部　作成要領

< 作成要領 >

1. 各部處別 市·郡單位로 作成

2. 的務部는 道分, 道에서는 各市·郡分 實踐計劃을 取合 本要領에 따라 作成
   提出

3. 規格은 8切更紙 左橫로 하고 드리는 또는 孔打로 한지.

(12)

區分	作成要領	備考
一 目標	※ 第一部 內容을 參照하고 部處 實情에 따라 作成 ※ 第一部 目標(方針)는 內務部의 目標(方針)을 例示한 것이며 實踐計劃 作成에 있어서 參照할것	
二 方針	上 同	
三 事業計劃	1. 區分은 「環境淨化事業」「社会淨化事業」「環境改善事業」 「算美親語活動」「生活基盤造成」으로 綜合 作成 2. 事業과 細部事業은 別表 (1) 基地村 对象事業 類別 一覽 参照 作成 3. 目標量으로 實踐計劃 總括에 依하고 總計劃量으로 作成 4. 事業效果는 豫想效果를 簡述하고 物量도 表示할것	
四 綜合實踐計劃		

(13)

區　　分	作　　成　　要　　領	備	考
1. 1973年度 實踐 計劃 總括	1. 優先順位는 審業別로 地域別로 (基地村別) 優先順位로 作成 　(第一部 例示參照) 2. 目標量 및 事業費는 責任이 있는 實踐計劃를 및 事業費를 根據 　로 作成		
2. 1973年度 基地 村別 實踐計劃	1. 1973年度 實踐計劃總括을 參照 基地村別로 作成 2. 優先順位는 當該基地村 의 細部事業 을 網羅하여 優先順位로 　作成 (第一部 例示參照) 3. 施行期間은 月別로 區分 記載		

(44)

別表 I

基地村對策事業類型一覽

區分	事業		區分	事業	
保健對策事業	1. 住病豫防 及 治療	1. 住病診療所 新築			4. 鑑識基反維保
		2. 住病診療所 補修			1. 不良池水改善
		3. 裝備確保			2. 衛生檢査
		4. 住病檢診 及 治療			3. 從業員 保存診所
		5. 受員確保			4. 牧養員 敎養敎育
		6. 給養費			1. 業界의ㅗ設置
		7. 住病診療所 管理運營		3. 觀光業所 衛生対策	2. 汚水車輛 리어카 購入 및 運營
	2. 麻藥 及 賣復住 醫藥 團束	1. 釋美合同團束		4. 淸 掃	3. 塵芥車輛 리어카 購入 및 運營
		2. 団束車輛確保			4. 塵芥處理場 建設
		3. 軍巴監視員			

(15)

256

區分	事業	細部事業	區分	事業	細部事業
		5. 請捕大 揖員			1. 現光休養業所 狀態者 教育
		6. 休班補 設置		4. 人種差別	2. 設備改良 및 印刷配付
	5. 結核 豫改	1. 結核 豫防			1. 教養講座 實施
		2. 隣近住民 就業 救護		5. 輪落文化 善導	2. 輪落女性 降落指置
		1. 合同巡察 强化			3. 人材相談所 設置
		2. 檢問所 增設			1. 쉼터로 鋪裝
		3. 團束實蹟 支援		1. 通路拡充 및 整備	2. 步道쿠리
		4. 支援公所室 支援			3. 道路拡充 및 整備
2. 社會淨化事業		1. 團束 强化		3. 環境改善事業	(側溝設置 가드레일 및 連絡路架建 (己含))
		2. 搜査協助力 增强			
	1. 射撃場 出入統制				
	2. 賊街 確보				
	3. 軍需品盜産 및 暗市場 根絕				

區分	事業	細劃事業	區分	事業	細劃事業
		4. 道路鋪装			6. 福祉施設
		5. 橋梁架設		5. 街路辺美化	1. 街路樹植栽
	2. 上下水道	1. 上水道設置			2. 花壇設置(꽃심기)
		2. 下 〃			3. 各種標識 및 看板
		3. 簡易給水施設			塗色 補修
	3. 保安燈 및 街路燈	1. 保安燈設置	4. 韓美親善 紐帶	1. 親善活動	1. 韓美親善委員合同催
		2. 街路燈設置	強化		2. 体育大会
	4. 不良住宅改良	1. 거리改良		2. 弘報活動	1. 刊行物配付
		2. 불량住宅改良			2. 広告揭示板設置
		3. 〃 〃 撤去			
		4. 便所改良			
		5. 観光休養施設	5. 生活基盤造成	1. 感謝民拔護	1. 廠護標識紙夫給

(17)

區 分	事 業	細 部 事 業	區 分	事 業	細 部 事 業	備 考
	2. 職業訓練			5. 各種工業체u 匿営		1. 奇塞 및 增築
	3. 民統線北의 医療	1. 職業輔導施設갖충				2. 匿営
	4. 営農団地造成	2. 職業輔導				
		3. ‥‥場에서職業訓練				
		1. 営農貸金支援				
		1. 香産団地造成 (韓牛, 養豚)				
		2. 園芸団地造成 (비닐하우스 菜蔬団地)				
		3. 有実樹団地造成				

(18) ④

			18111			
기록물종류	문서-일반공문서철	등록번호		등록일자	2001-12-20	
			5166			
분류번호	729.419	국가코드		주제		
문서철명	SOFA 한.미국 합동위원회 설치 군민관계 임시분과위원회-주한미군 기지촌주변 안전시설 설치문제, 1972					
생산과	북미2과	생산년도	1972 - 1972	보존기간	영구	
담당과(그룹)	미주	안보		서가번호	--	
참조분류						
권차명						
내용목차	*1972.7.6 제75차 합동위원회에서 군민관계 임시분과위원회 산하에 안전조사반 설치 합의					

정/리/보/존/문/서/목/록

마/이/크/로/필/름/사/항

촬영연도	*롤 번호	화일 번호	후레임 번호	보관함 번호
	Re-07-10	5	1-30	

색 인 목 록

분류번호	등록번호	생산과	생산년도	필름번호			화일번호	프레임번호		
				년도		번호		시작		끝
729.419 1972	18111	북미2과	1972	0 3	-	1 7 1	1	1	-	3 1

기 능 명 칭 : SOFA 한·미국 합동위원회 군민관계 임시분과 위원회 - 안전조사반 설치, 1972

일련번호	내 용	페 이 지
		| | |
		| | |
		| | |
		| | |
		| | |
		| | |
		| | |
		| | |
		| | |
		| | |
		| | |
		| | |

2

EAGL-MS (10 May 72)   1st Ind
SUBJECT: Protection of the Trans Korea Pipeline Right of Way (ROW)

HQ, Eighth United States Army, APO 96301   1 8 MAY 1972

TO: Commander, United States Forces, Korea, ATTN: J-5, APO 96301

Forwarded for action.

FOR THE COMMANDER:

D. M. CAHILL
1LT, AGC
Asst AG

2

3

DEPARTMENT OF THE ARMY
HEADQUARTERS, U.S. ARMY KOREA SUPPORT COMMAND
APO SAN FRANCISCO 96212

EAKSPD-CE

10 May 1972

SUBJECT: Protection of the Trans-Korea Pipeline
Right of Way (ROW)

Commanding General
Eighth United States Army
ATTN: EAGL-MS
APO 96301

1. Reference: a. Letter EAGL-MO, HQ, EUSA, 19 Jan 71. Subject:
Trans-Korea Pipeline Break.

    b. Letter EAGL-MS, HQ, EUSA, 19 Nov 71. Subject:
Trans-Korea Pipeline Publicity.

2. Two more serious breaks on the Trans-Korea Pipeline (TKP) have been
caused by construction equipment since Eighth US Army Letter of 19 Nov-
ember 1971 was forwarded to USFK. Both of these breaks were caused by
ROK civilian dozer operators and while no fires occurred, the loss of
time, loss of petroleum product, and resultant pollution of water and
cropland were extensive and are serious matters. At the time of these
last two breaks the pipeline was moving diesel and the danger of fire
was considerably less than it will be in the immediate future.

3. The TKP is now transporting gasoline, jet fuel, and diesel through-
out the full length from Pohang to Seoul. The danger of fire from
careless operation of construction equipment is now much greater and
serious damage, injury and even the likelihood of death can be expected
unless the TKP Right of Way is positively protected.

4. There appears to be a complete disregard for the TKP Right of Way in
many instances. A school has been constructed over the TKP at MP177,
recently an asphalt mixing plant was set up directly over the pipeline
at MP98.6; until recently a gravel dredging operation was going on at
MP254.5 in Seoul (Han River) near the TKP; and a ROKA gravel and sand
dredging operation is set up directly over the TKP at MP160. It was at
MP98.6 mentioned above, where one of the recent pipeline breaks occurred.

4

EAKSPD-CE   10 May 1972
SUBJECT: Protection of the Trans-Korea Pipeline
          Right of Way (ROW)

This break was caused by a dozer operator while preparing the   site
for the asphalt plant.

5. Inclosed are lists of incidents and breaks that have occurred
since the TKP become operational. The increased hazard of multi-
product shipments via the TKP when jet fuels and motor gasolines
are routinely carried is again emphasized. The importance of safe-
guarding the Right of Way is vital both to the US Army and the popu-
lation of ROK.

6. Request that action be initiated through established SOFA channels
to enforce the protection of the TKP Right of Way. The potential for
serious losses or damages cannot be over-emphasized and positive assis-
tance from the ROK Government is essential.

7. Further request that the ROK Government be advised that information
as to the exact location of the TKP underground can be obtained in ad-
vance of any construction near the TKP from USAPD3K Contract & Engineer-
ing Division by telephone at 264-4346/7114 or Taegu 4-9327.

FOR THE COMMANDER:

                                        JOHN F. BANEY
                                        1 LT, AGC
                                        Asst Adjutant General

CF:
COMUSK, DJ SAFOK
COMUSK, ENJ
EUSA, EAEN-RE

5

COMMUNICATION CABLE BREAKS

DATE	MILE POST	DAMAGE or LOSS caused by ROK Bulldozer
2 Jul 71	51	100'
29 Jul 71	182	160'
1 Aug 71	130	100'
14 Aug 71	62	90'
17 Aug 71	48	300'
3 Nov 71	228	30'
17 Nov 71	162	45'
2 Dec 71	253	60'
17 Jan 72	171	60'
7 Apr 72	146	30'
3 Apr 72	42	60'
28 Apr 72	72	60'

Materials, Cable 12 pair, 19 AWG PIC - - - - 1095 ft x $0.30=$328.50

Labor and Equipment - - - - - - - - - - - - 1095 x $0.25=$273.75

Total Cost: $602.25

6

TKP LINE BREAKS

DATE	MILE POST	CAUSE ②	DAMAGE	TOTAL COST
8 Jan 71	155.9	Unknown - Bulldozer	6' section of 10" pipe with 14" split	$24,630.26
3 Nov 71	229.1	Dong Hwa Corp. Ltd., Seoul Bulldozer	10" x 4" hole in 8" pipe	$10,641.37
8 Feb 72	98.6	Guk-Tong Construction Corp. Ltd Bulldozer	12" x 3" hole in 10" pipe	$9,859.89
26 Mar 72	228.5	Taesong Construction Company Bulldozer	8" fuel pipe-line, 35 ft.	$1,862.00
15 Apr 72	185.0	Unknown Heavy Construction Equipment	30 ft section of 10" pipe	Unknown

기 안 용 지

분류기호 문서번호	미이 723 -	(전화번호)	전결규정 **9**조**3**항
			국장 전결사항

처리기간		
시행일자		
보존년한		

보조기관	과 장		협	

국 장

기안책임자   **권찬**   북미 2과 (72. 6. 28)

경유 수신 참조	내무부 장관, 건설부 장관	발 신	

교통부장관.

제 목   미 기지촌 주변 건널목 참화사건과 관련된 안전시설 설치

미측이 제공한 별첨 서한 ~~약 내용~~ 에 의하면 6.4. ~~부~~ 오산 Camp

Humphreys 기지에서 평택소재 한.뉴 질랜드 시범낙농장에 이르는

철로 건널목 에서 열차와 자동차 충돌 사건으로 한국인 여인과 어린애가

즉사하고 미군 장교 1명이 중상 ~~화한 듯~~ 교통 사고가 일어났으며, 뿐만

아니라 동 건널목 에서의 충돌 사건은 아주 빈번함 ~~으~~로 이의 통제 및

안전시설이 시급히 요청 ~~되는 듯 ~~ 되오니 귀부 에서 조치하여 주시기

바랍니다.

첨부 : 미측 서한 사본 1부.   끝.

	정서
	관인
	발송

52/15/7

EMBASSY OF NEW ZEALAND

SEOUL.

5 June 1972

Dear General Michaelis,

I was shocked to learn of a fatal accident yesterday (4 June) on the railway crossing on the access road to the ROK/NZ Demonstration Dairy farm at Pyongtaek.

Two U.S. officers from Camp Humphries and a Korean woman who works at the Camp were on their way to visit the New Zealand Manager of the farm and his family. Their car stuck on the railway crossing. It would seem that although all four occupants the woman had her baby with her - were able to get out of the car before the train hit it, they did not get far enough away from the crossing to escape flying and burning debris. The woman and child were killed; one officer was badly burned; and the other, although not injured physically, suffered shock.

I would be very grateful if you could arrange through the Commander at Camp Humphries for my sympathy and that of our New Zealand personnel at the farm to be conveyed to the two U.S. officers concerned and to the family of the Korean woman employee.

This is not the first fatal accident on the crossing. But it may provoke the Korean authorities into providing a new and safer access road to the farm. Something which our repeated representations over the past three years have not achieved.

General J. H. Michaelis,
Commander,
United States Forces in Korea.
SEOUL

9

2.

     In the meantime, it would be as well if those U.S. service personnel from Osan and Camp Humphries that regularly visit the farm were advised that the crossing is extremely dangerous. All occupants except the driver should get out of the car and walk across the railway tracks.

     Our people at the farm welcome visits by your men and hope they will continue despite this tragedy.

                      Yours sincerely,

                      Charge d'Affaires a.i.

ID

교　　통　　부

종수　123-**9f3**   1972.　　7.　　1

수신　외무부장관

제목　미기지촌 주변 건널목 안전조치

1. 미이 723-20339 (72.6.28)의 관련 사항입니다.

2. 본건 당부 산하 철도청장으로 하여금 조치하도록
지시하였음을 통보하오니 양지하시기 바랍니다.　끝

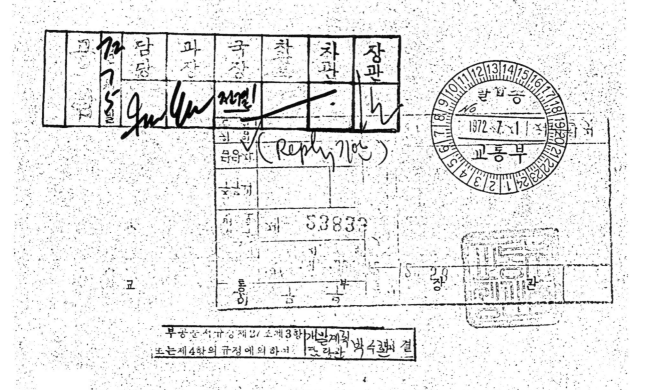

외 무 부

	'97 ⋅ 4 ⋅ JUL '72 12:58
접수번호	제 23833
주무과	
담당자	
위임근거	'97 . . 까지 처리할것

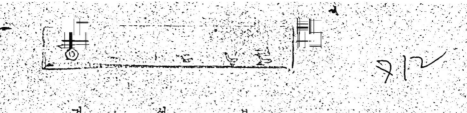

건   설   부

도 계 431- *11598*   1972. 7. 7.

수신 외무부장관

제목 미기지촌 주변 건널목 참확사건과 관련된 안전시설설치

　　　　1. 미이 723-20339(72.6.28)의 관련입니다.

　　　　2. 오산 *Camp Humphreys* 기지에서 평택 한.뉴질랜드 시범

낙농장간 도로는 관할청인 경기도와 철도청에서 처리토록 하였

으니 양지하시기 바랍니다.

첨부 : 경기도지사 및 철도청장 앞 공문 사본 1부. 끝.

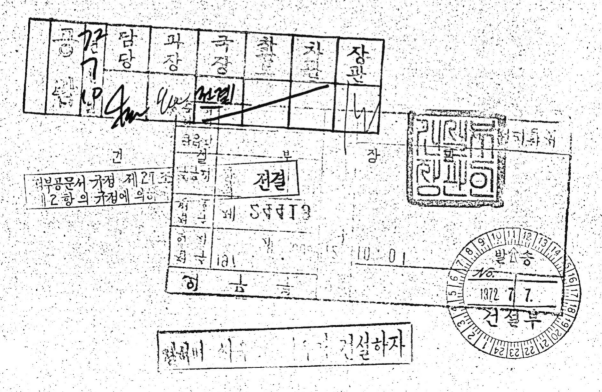

건　설　부

도계 431-1159 　　　　　　　　　　1972. 7. 7.

수신　수신처참조

제목　미기지촌 주변 건널목 참화사건과 관련된 안전시설 설치

　　　　외무부로 부터 별첨 내용과 같은 요청이 있어 검토한바
귀도(청)에서 조치하여야할 사항이므로 이송하오니 적의 처리
하시기 바랍니다.

첨부 : 미이 723-20339(72.6.28) 공문 1부. 끝.

　　　　　건　설　부　장　관

수신처 : 경기도, 철도청

미2

내 무 부

관리 723 - 8262 (70.2481)   1972. 7. 15

수신 외무부장관

참조 구미국장

제목 미 기지촌 주변 건널목 참화 사건과 관련된 안전시설 설치

1. 미이 723 -20339 (72. 6. 28) 의 관련임.

2. 경기도 지사에게 별첨 (사본)과 같이 지시하였으며

72. 6. 8 평택군수가 수원및 천안 보선 사무소장에게 안전대책

강구토록 촉구한바 있음을 통보합니다.

첨부. 관리 723 -   (72. 7. 15) 공문사본 1부   끝

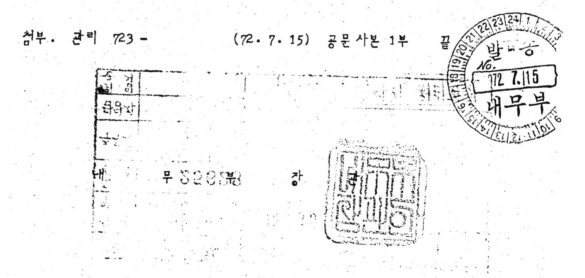

무 500부   장

14

내   무   부

관리 723 -   (70.248①)   1972. 7. 15

수신 경기도지사

참조 기획관리실장

제목 미 기지촌 주변 건널목 참화 사건과 관련된 안전 시설 설치

　　　72. 6. 4 평택군 관내에서 발생한 철로 건널목 교통사고와
관련하여 외무부 장관으로 부터 별첨 (사본) 과 같이 해 지역의 사고
예방책을 강구하여 달라는 요청이 있으니 귀도에서 관계기관과 협조
할것.

첨부. 미이 723 - 20335 사본 1부   끝

　　　　　　내   무   부   장   관

기 안 용 지

분류기호 문서번호	미이 723 -	(전화번호)	전결규정 9조 3항 국장 전결사항
처리기간			
시행일자			
보존년한		국 장	

보 조 기 관	과 장				협	
기안책임자	권 찬 북미 2과 (72.				
경 유 수 신 참 조	교통부장관			
제 목	SOFA 합동위 군민관계 임시분과위 안전조사반 위원 위촉			

1. 한.미 군대지위협정에 의한 한.미 합동위원회 제 75차 회의 (72.

   7. 6.) 에서는 다음의 목적으로 군민관계 임시분과위원회 산하에

   안전조사반 (Safety Panel)을 설치할것에 합의하였읍니다.

   가. 한국 전역을 통하는 지하 송유관의 빈번한 파괴와 동 송유관의

   파괴로 인하여 농지 전답에 막대한 피해를 초래할뿐 아니라,

   때로는 큰 화재의 위험성도 있음을 감안하여, 동 송유관의

   시설 보호 및 시민들에 대한 계몽.

   나. 폭발물 사고 및 기지촌주변교통 참화사고의 미연 방지.

   다. 기타 미군의 한국 주둔에 따른 제반 안전문제에 대한 상호

   협의 조정.

2. 귀부에서는 동 조사반에 위원 1명 (각장급)을 위촉, 당부에 통보해

   주시기 바랍니다.   끝.

공통서식 1-2 (갑)
1967. 4. 4. 승인

190 mm ×268 mm (1급인쇄 용지 70g ㎡)
조달청 (500,000매 인쇄)

기 안 용 지

분류기호 문서번호	미이 723 -	(전화번호)	전결규정 9 조 3 항 국장 전결사항
처 리 기 간			
시 행 인 자			
보 존 년 한			국 장

보 조 기 관	과 장			협

기 안 책 임 자	권 찬	북미 2과 (72. 7. 19	

경 유 수 신 참 조	내무부장관	발송 No. 22886 1972. 7. 19 외무부	검열 1972. 7. 19 통제관

제 목	SOFA 합동위 군민관계 임시분과위 안전조사반 위원 위촉

1. 한.미 군 대지위협정에 의한 한.미 합동위원회 제 75차 회의 (72.

7. 6.)에서는 다음의 목적으로 군민관계 임시분 각위원회 산하에

안전조사반 (Safety Panel)을 설치할것에 합의하였읍니다.

　가. 한국 전역을 통하는 지하 송유관의 빈번한 파괴와 동 송유관의

　　　파괴로 인하여 농지 전답에 막대한 피해를 초 래할뿐 아니라,

　　　때로는 큰 화재의 위험성도 있음을 감안하여, 동 송유관의

　　　시설 보호 및 시민들에 대한 계몽.

　나. 폭 발물 사고 및 기지촌주변 교통 참화사고의 미연 방지.

　다. 기타 미군의 한국 주둔에 따른 제반 안전문제에 대한 상호

　　　협의 조정.

2. 귀부 에서는 지방행정, 경찰, 소방부문의 담당 계장급을 위원으로

　　위촉하시고 그 명단을 조속히 당부에 통보해 주시기 바랍니다. 끝.

	정 서
	관 인
	발 송

공통서식1-2(갑)
1967. 4. 4. 승인

190 mm ×268 mm (1 급인쇄 용지70 g /m²)
조달청 (500,000매 인쇄)

기 안 용 지

<table>
<tr><td>분류기호
문서번호</td><td colspan="2">미이 723 -</td><td>(전화번호   )</td><td colspan="2">전 설 규 정 9 조 3 항
국장 전 결 사 항</td></tr>
<tr><td>처 리 기 간</td><td colspan="2"></td><td colspan="3" rowspan="3"></td></tr>
<tr><td>시 행 일 자</td><td colspan="2"></td></tr>
<tr><td>보 존 년 한</td><td colspan="2"></td></tr>
<tr><td rowspan="4">보
조
기
관</td><td>과 장</td><td></td><td colspan="3" rowspan="4"></td></tr>
<tr><td></td><td></td></tr>
<tr><td></td><td></td></tr>
<tr><td></td><td></td></tr>
<tr><td>기 안 책 임 자</td><td colspan="2">권 찬 북미 2과 (72.</td><td colspan="3"></td></tr>
<tr><td>경 유</td><td colspan="2" rowspan="3">국방부 장관</td><td colspan="3"></td></tr>
<tr><td>수 신</td></tr>
<tr><td>참 조</td></tr>
<tr><td>제 목</td><td colspan="5">SOFA 합동위 군민관계 임시분과위원 안전조사반 위원 위촉</td></tr>
</table>

1. 한.미 군 대지위협정에 의한 한.미 합동위원회 제 75차 회의 (72.

    7. 6.)에서는 다음의 목적으로 군민관계 임시분과위원회 산하에

    안전조사반 (Safety Panel)을 설치할것에 합의하였읍니다.

    가. 한국 전역을 통하는 지하 송유관의 빈번한 파괴와 동 송유관의

        파괴로 인하여 농지 전답에 막대한 피해를 초래할뿐 아니라,

        때로는 큰 화재의 위험성도 있음을 감안하여, 동 송유관의

        시설 보호 및 시민들에 대한 계몽.

    나. 폭발물 사고 및 기지촌주변 교통 참학사고의 미연 방지.

    다. 기타 미군의 한국 주둔에 따른 제반 안전문제에 대한 상호

        협의 조정.

2. 동 조사반의 의장으로 귀부의 담당과장 1명을 위촉코저 하오니,

    조속 지명, 당부에 통보해 주시기 바랍니다. 끝.

공동서식 1-2 (갑)
1967. 4. 4. 승인

190 mm × 268 mm (1 급 인쇄 용지 70g /m²)

조달청 (500,000매 인쇄)

내 · 무 · 부

관리 723-8964 (70.2481)   1972. 8. 1

수신 외무부장관

참조 구미국장

제목 SOFA 합동위원회 산하 안전조사반 위원 추천

   1. 미이 723-22886 (72. 7. 19)와 관련됨.

   2. 아래 공무원을 한미 합동위원회 군민관계 임시분과

위원회 산하 안전조사반 위원으로 추천합니다.

소 속	직 급	성 명	비 고
지방국 관리과	행정사무관	김주봉	지방 행정 관계
치안국 보안과	총경	이석원	폭발물등 안전사고관계
" 소방과	"	지룡환	화재관계

끝

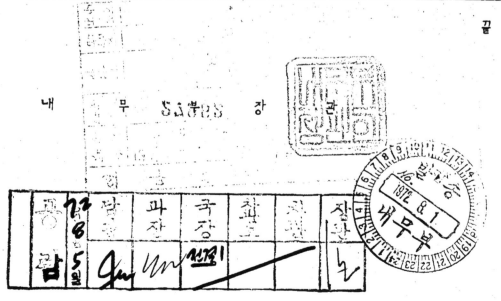

내   무   부   장

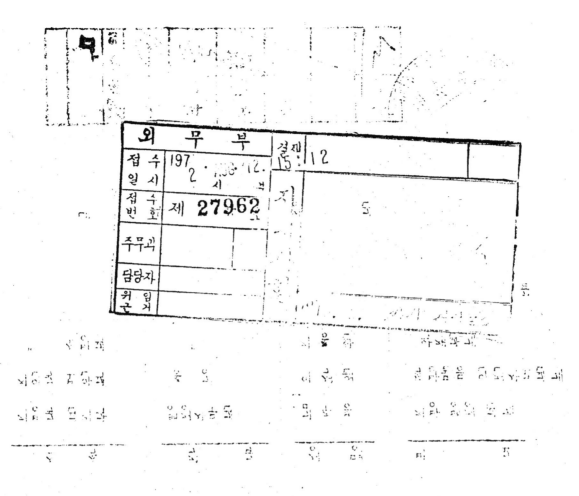

교　　통　　부　　전 (변)

종수 723 1192

수신　외무부 장관

72. 8. 17

제목　SOFA 합동위 군민관계 임시분과위 안전조사반 위원 위촉

　　1. 미이 723 - 22887 (72. 7. 19)과 관련된 사항입니다

　　2. 표제에 관련 당부의 위원을 아래와 같이 통보합니다

소　　속	직　위	성　명	비　고
교 통 부 육 운 국	서 기 관	이 동 희	지 도 과 장

　　끝.

교　　통　　부　　장　관

정부공문서 규정 제27조
제2항의 규정에 의하여

ᄀD

권(변)

국　방　부

인사203.1-/876　　　43-4334　　　·72.8.18·

수신　외무부 장관

제목　안전조사반 위원 위촉

　　　미이 723-22885 (72.7.19)로 위촉된 안전조사반 위원을 아래와
같이 통보 합니다.

　　　　인사국 인사과　중령 유재봉. 끝.

국　방　부　장

안전 조사반 한국측 위원 명단

위원장   이 동 휘   교통부 육운국   지도과장

위 원   권   찬   외무부 구미국   북미2과 사무관

          김 주 봉   내무부 지방국   관리과 사무관

          이 석 원   내무부 치안국   보안과 총경

          지 종 환   내무부 치안국   소방과 총경

          유 재 봉   국방부 인사국   인사과 중령

7월 8일 전달	담당	과장	국장	참모	차관	장관
9일						

기 안 용 지

분류기호 문서번호	미이 723 -	(전 화 번 호)	전 결 규 정 조 항 **차관** 전 결 사 항

처 리 기 간		
시 행 일 자		
보 존 년 한		**차 관**

보 조 기 관	차관보	촌장준		첨
	국 장			
	과 장			조

기 안 책 임 자	변승국	북미 2과 (72. 8. 21)	

경 유 수 신 참 조	내부 결재	발 신	통 제

제 목	SOFA 군민관계 분과위원회 안전조사반 구성

제 75차 한.미 합동위원회에서 합의한바 있는 군민관계 임시분과

위원회 산하의 안전조사반 한국측 인원 구성을 각 관계부처의 추천에

따라 다음과 같이 위촉할것을 건의합니다.

- 다 음 -

위원장	이동휘	교통부 육운국 지도과장	
위원 (간사)	권 찬	외무부 구미국 북미 2과 사무관	
위 원	김주봉	내무부 지방국 관리과 사무관	
"	이석원	내무부 치안국 보안과 총 경	
"	지종환	내무부 치안국 소방과 "	
"	유재봉	국방부 인사국 인사과 중 령 끝.	

정 서

관 인

발 송

공통서식 1-2 (갑)
1967. 4. 4. 승인

190 mm ×268 mm (1 급인쇄 용지70 g /㎡)
조달청   (500 000매인쇄)

22

기 안 용 지

분류기호 문서번호	**미이 723 -**	(전 화 번 호)	전 결 규 정 조 항
			국장 전 결 사 항
처 리 기 간			
시 행 일 자	**72. 8. 22.**		
보 존 년 한			
보 조 기 관	과 장		협 조
기 안 책 임 자	**변송국**	**북미 2과**	
경 유 수 신 참 조	**수신처 참조**		통 제
제 목	SOFA 군민관계 분과위원회 안전조사반 구성 통보		

대 : 인사 2031 - 1876 (72. 8. 18.)

종수 723 - 1192 (72. 8. 17)

관리 723 - 8969 (72. 8. 1)

대호로 귀부에서 추천한바 있는 SOFA 군민관계 임시분과위원회

산하 안전조사반 한국측 위원이 다음과 같이 위촉되었음을 통보합니다.

- 다   음 -

하외 앞으로의 임무에
응할수 있도록 하여
즉시기 바람

위원장	이동휘	교통부 육운국 지도과장		
위원 (간사)	권 찬	외무부 구미국 북미 2과	사무관	
위 원	김주봉	내무부 지방국 관리과	사무관	
"	이석원	" 치안국 보안과	총경	
"	지종환	" " 소방과	"	
"	유재봉	국방부 인사국 인사과	중령	끝.

수신처 : 내무부장관, 국방부장관, 교통부장관

공통서식 1 - 2 (갑)
1967. 4. 4. 승인

190 mm ×268 mm (1급인쇄 용지 70g /m²)

조달청 (500,000매인쇄)

24

JOINT COMMITTEE
UNDER
THE REPUBLIC OF KOREA AND THE UNITED STATES
STATUS OF FORCES AGREEMENT

August 22, 1972

Dear Capt. Romanick:

I would like to inform you that the ROK component of the Safety Panel of the Ad Hoc Sub-committee on Civil-Military Relations is designated as follows:

<u>Chairman</u>

Mr. LEE Dong Whae
Chief, Guidance Section
Bureau of Land Transportation
Ministry of Transportation

<u>Secretary</u>

Mr. KWON Chan
North America Section II
Bureau of European and American
Affairs
Ministry of Foreign Affairs

<u>Members</u>

Mr. KIM Joo Bong
Management Section
Bureau of Local Administration
Ministry of Home Affairs

Mr. LEE Suk Won
Police Superintendent
National Police Headquarters
Ministry of Home Affairs

Mr. JEE Jong Whan
Police Superintendent
National Police Headquarters
Ministry of Home Affairs

Member

LTC. YU Jae Bong
Personnel Section
Bureau of Personnel
Ministry of National Defense

Sincerely,

Kim Kee Joe
ROK Chairman
Ad Hoc Subcommittee on
Civil-Military Relations
ROK-US Joint Committee

Capt. Frank M. Romanick, USN
United States Chairman
Ad Hoc Subcommittee on
Civil-Military Relations
ROK-US Joint Committee

보 존 문 서	게 재	기 안 용 지 1 월 2 일	담 당	과 장	국 장	차 관 보	차 관	장 관
					편견			

11. AD HOC SUBCOMMITTEE (CIVIL-MILITARY RELATIONS) PANELS – US COMPONENT

8. SAFETY

		TELEPHONE EXCHANGE	
CHAIRMAN			
Mr. Robert A. Walterschied	Director of Safety, USFK	293-3941	YS
SECRETARY			
Mr. Robert A. Kinney	Chief, International Relations Branch J5 Division, USFK	293-6374	YS
MEMBERS			
LTC Robert W. Hansen	Director of Safety, 51st Air Base Wing, 314th Air Division, US Air Forces, Korea	284-5045	OS
Mr. PAK U Sok	Senior Safety Specialist Eighth United States Army	293-3157 42-5189	YS SC

내 무 부

관리 723-10248 (70.2481)   1972. 9. 1

수신 외무부장관

참조 구미국장

제목 SOFA 군민관계 분과위원회 안전조사반 위원교체

     1. 관리 723 - 8969 (72·8.1)와 관련됨.

     2. 안전조사반 당부 추천위원을 아래와 같이 교체하여 주시기

바랍니다.

소속	직급	성명		교체사유
		당초	변경	
지방국 관리과	행정사무관	김주봉	지헌정 (CHI HUN chung)	부내인사이동에 따른 교육담당 교체

끝

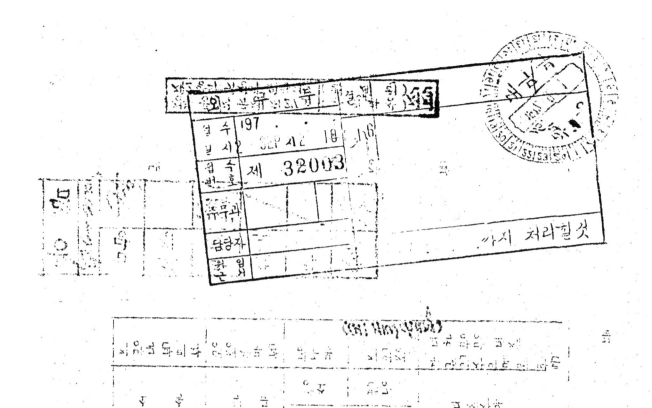

JOINT COMMITTEE
UNDER
THE REPUBLIC OF KOREA AND THE UNITED STATES
STATUS OF FORCES AGREEMENT

September 8, 1972

Dear Capt. Romanick:

    With reference to the letter of September 2, 1972,
I would like to inform you that Mr. CHI Hun Chung is
newly designated as a member of the Safety Panel in
replacement of Mr. KIM Ju Bong.

                              Sincerely yours,

                              Kim Kee Joe
                              ROK Chairman
                              Ad Hoc Subcommittee on
                              Civil-Military Relations
                              ROK-US Joint Committee

Capt. Frank M. Romanick, USN
US Chairman
Ad Hoc Subcommittee on
Civil-Military Relations
ROK-US Joint Committee

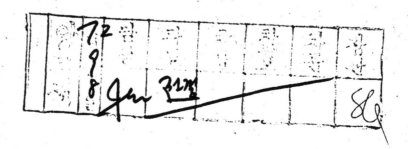

29

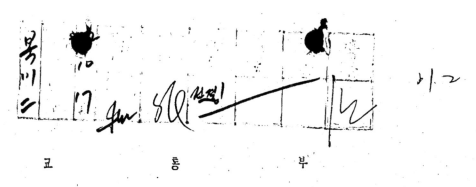

교　　　통　　　부

종수 321 ~~744~~   1972. 10. 6.

수신 외무부 장관

제목 **SOFA** 군민관계 분과 위원회 안전 조사반 위원 통보

　　　대 : 미이 723-26961 ('72. 8. 23)

　　　연 : 종수 723-1192 ('72. 8. 17)

　　　표제의건에 대하여 기 통보한 당부 위원을 사정에 의하여
다음과 같이 변경 통보하오니 조치하여 주시기 바랍니다.

소 속	직 위	성 명	비　고
교 통 부 안전관리담당관실	서 기 관	강 형 춘 (姜亨春)	안전관리보좌관

끝.

　　　　　교　　통　　부　　장　　관

정부공문서 규정 제2조
제2항의 규정에 의하여

30

외교문서 비밀해제: 주한미군지위협정(SOFA) 37
주한미군지위협정(SOFA) 군민관계 임시분과위원회 2

초판인쇄 2024년 03월 15일
초판발행 2024년 03월 15일

지은이 한국학술정보(주)
펴낸이 채종준
펴낸곳 한국학술정보(주)
주 소 경기도 파주시 회동길 230(문발동)
전 화 031-908-3181(대표)
팩 스 031-908-3189
홈페이지 http://ebook.kstudy.com
E-mail 출판사업부 publish@kstudy.com
등 록 제일산-115호(2000. 6. 19)

ISBN   979-11-7217-048-6 94340
       979-11-7217-011-0 94340 (set)